# CONSTRUÇÕES DO *TEMPO* E DO *OUTRO*

## REPRESENTAÇÕES E DISCURSOS MIDIÁTICOS SOBRE A ALTERIDADE

# CONSTRUÇÕES DO *TEMPO* E DO *OUTRO*

## REPRESENTAÇÕES E DISCURSOS MIDIÁTICOS SOBRE A ALTERIDADE

**João Freire Filho**
**Paulo Vaz**
**organizadores**

Mauad X

Direitos desta edição reservados à
MAUAD Editora Ltda.
Rua Joaquim Silva, 98, 5º andar
Lapa — Rio de Janeiro — RJ — CEP: 20241-110
Tel.: (21) 3479.7422 — Fax: (21) 3479.7400
**www.mauad.com.br**

*Projeto Gráfico:*
Nucleo de Arte/Mauad Editora

CIP-BRASIL. CATALOGAÇÃO-NA-FONTE
SINDICATO NACIONAL DOS EDITORES DE LIVROS, RJ.

C782
Construções do *tempo* e do *outro*: representações e discursos midiáticos sobre a alteridade / João Freire Filho e Paulo Vaz (orgs.). - Rio de Janeiro: Mauad X, 2006

Inclui bibliografia

ISBN 85-7478-205-X

1. Análise do discurso. 2. Comunicação de massa - Avaliação. 3. Comunicação de massa - Aspectos morais e éticos. 4. Comunicação de massa - Influência. 5. Mídia - Aspectos sociais. I. Freire Filho, João. II. Vaz, Paulo, 1961-.

06-4002. CDD 302.23
CDU 316.77

# Sumário

# Apresentação

*João Freire Filho e Paulo Vaz*

Habitualmente, passamos grande parte de nossas vidas imaginando o que podemos ser. Sonhamos com algum estado de ser individual e coletivo e, ao mesmo tempo, estipulamos as ações que devemos realizar para torná-lo concreto. Esse futuro desejado caminha de mãos dadas com uma série de imagens sobre o que nenhum indivíduo e nenhuma sociedade deveriam ser. A alteridade desenha, em contraluz, as imagens de ser socialmente legítimas, respeitáveis, cobiçáveis.

Eis, porém, que, num instante qualquer, um vazio se abre entre o que imaginamos e o que o mundo e nós mesmos podemos ser. Tomados pela angústia, sem mais sabermos qual o caminho a ser seguido, começamos a pensar. Perguntamos, novamente, o que podemos ser e, nesse movimento, nos destacamos do conteúdo de nossos pensamentos. Diversas vezes, esse esforço de meditação aparece na forma de questões: de onde vêm nossas crenças sobre o *outro* que tão poderosamente condicionam o que desejamos ser? De onde vêm nossas crenças sobre o que já existiu e o que pode existir? O empenho em responder a essas questões inclui, na cultura contemporânea, alguma referência aos conteúdos veiculados pelos meios de comunicação. As representações midiáticas de indivíduos, grupos, instituições e acontecimentos formam como que a matéria-prima a partir da qual os indivíduos pensam sobre si mesmos e o mundo.

Por intermédio de filmes, ficções seriadas, videoclipes, noticiários, reportagens e anúncios, entre outros artefatos, as indústrias da cultura fornecem descrições textuais e visuais daquilo que é socialmente conveniente em termos de personalidade, aparência, conduta moral e cívica, postura política, relacionamento afetivo e comportamento sexual – modelos e recursos simbólicos a partir dos quais o público pode construir o seu senso do que significa ser, neste exato momento, "moderno", "civilizado", "cidadão", "vitorioso", "responsável", "belo", "atraente"... A avaliação que os indivíduos fazem de si mesmos e de seus interesses, sob o influxo crescente dos referenciais midiáticos, interfere substancialmente, por sua vez, nas demandas políticas que expressam ou deixam de pleitear, com conseqüências bastante concretas no tocante à distribuição de riquezas, prestígio e oportunidades de educação, emprego e participação na vida pública.

Identificar as representações midiáticas como "matéria-prima" sugere que a relação dos indivíduos com a mídia não é ingênua, uma pura absorção por suas mentes dos conteúdos veiculados. Tanto quanto os intelectuais, os indivíduos "comuns" exercem um juízo crítico sobre o que aparece na mídia, desconfiam e distanciam-se dos seus conteúdos. Por outro lado, "matéria-prima" indica também a inevitabilidade de nossa relação com as representações midiáticas. O que pensamos sobre nós mesmos e o mundo – e a liberdade que nos é, então, disponível – resulta das diferentes formas com que elaboramos as construções midiáticas do *tempo* e do *outro*.

Os artigos aqui reunidos procuram contemplar diversas facetas deste tema intricado e fundamental, evitando interpretações fáceis e reducionistas. Variadas representações e discursos midiáticos sobre o *tempo* e o *outro* são analisados por integrantes do corpo docente e discente do programa de pós-graduação em Comunicação e Cultura da UFRJ e por professores de outras instituições que ministraram, recentemente, cursos em nossa universidade. Em comum, os textos selecionados possuem o intuito de oferecer – no lugar das condenações moralistas de praxe – pesquisas sistemáticas e reflexões teóricas mais perspicazes acerca do ambiente midiático contemporâneo. Nenhum deles assume que os indivíduos aceitam passivamente os conteúdos dos meios de comunicação, nem, inversamente, que o lugar de onde se fala é aquele de uma total independência.

As representações das doenças cardiovasculares nas narrativas jornalísticas são o foco central do artigo de Paulo Vaz, Mariana Pombo, Guilherme Pecly e Maria Fantinato. As notícias sobre modos de evitar doenças do coração são apresentadas como um dos elementos a partir do qual é proposta uma forma nova de habitar o tempo, isto é, de haver passado e futuro para os indivíduos contemporâneos. Ao mesmo tempo, essas notícias estão na continuidade da construção de uma moral da verdade, na medida em que elaboram para cada um de nós a idéia de morte evitável, a distância, que continua a ser decisiva para nossa aceitação de regras morais. Desse modo, essas notícias, além de estimarem o que pode ser o futuro para cada indivíduo se bem agirem, delineiam o comportamento daqueles que não saberiam cuidar de si.

João Freire Filho, por sua vez, aborda os desafios teóricos e metodológicos que envolvem a análise dos discursos midiáticos sobre a *adolescência* e a *juventude*, refletindo a respeito de suas próprias incursões neste campo de investigação. Nos inúmeros relatos factuais e ficcionais do mundo adulto, a *adolescência* e a *juventude* figuram como importantes constructos discursivos, capazes de condensar e dinamizar expectativas e temores largamente difundidos acerca de mudanças na economia, nos hábitos e nos costumes, na moralidade e na sexualidade, na produção e no consumo cultural e nas relações sociais. Se os jovens representam a incorporação do futuro, os estereótipos negativos – o “rebelde”, o “precoce”, o “consumista”, o “preguiçoso”, etc. – estabelecem os perigos que rondam uma sociedade e a necessidade de cuidar desses indivíduos que ainda não sabem se cuidar o suficiente.

Os jovens são também os protagonistas do artigo de Ana Julia Cury de Brito Cabral, que examina como foi retratada, pelos jornais brasileiros, a atuação do movimento juvenil contra o CPE (Contrato do Primeiro Emprego) na França. O que está em jogo aqui é como a ordem neoliberal tende a construir um certo estereótipo da rebeldia política dos jovens (e, portanto, da possível abertura de um futuro diferente), ao mesmo instante que torna a manifestação um pouco anterior dos jovens da periferia de Paris um problema de integração e inclusão da diferença cultural, mas não da ordem capitalista global.

Após esses três artigos que tratam do *futuro* e do *outro* através das representações da doença e da juventude, a coletânea se fixa momentanamente no problema da representação da alteridade num mundo globalizado. A fim de esboçar um panorama da utilização das imagens de sujeitos periféricos e subalternos na mídia, Angela Prysthon contrasta representações feitas pelo cinema contemporâneo (notadamente, por produções nordestinas, como *O Rap do pequeno príncipe contra as almas sebosas*, *Amarelo Manga* e *Cidade Baixa*) com aquelas realizadas pelas próprias camadas ditas subalternas da população (situadas, em particular, na cidade do Recife). Igualmente instigados pela produção cultural pernambucana, Marcelo Kischinhevsky e Micael Herschmann buscam investigar as dificuldades e facilidades para a consolidação, dentro do cânone e do mercado musical, de um *locus* para a música regional brasileira de características *híbridas*, tomando como estudo de caso o manguebeat.

A representação do futuro retorna no artigo de Ieda Tucherman, que focaliza as relações entre mídia, opinião pública, pesquisa e divulgação científica, a partir da análise da representação pública das ciências nas revistas científicas de grande difusão. Apresentando uma breve história da divulgação científica no Brasil, o artigo parte do vínculo construído no século XIX entre ciência e a idéia de progresso material para colocar em perspectiva esse nosso mundo onde vida e morte se tornam domínios da ciência através, principalmente, da biotecnologia.

O artigo seguinte, de Marialva Barbosa, generaliza os anteriores, na medida em que analisa como a narrativa televisual representa o tempo. No artigo, a autora reflete a respeito dos "trabalhos de memória" efetuados pela narrativa da televisão brasileira, salientando a abertura destas expressões culturais à construção de réplicas significativas dentro do universo cultural do público.

A relação entre mídia e memória ressurge, sob outro ângulo, no artigo de Ana Paula Goulart Ribeiro. Por meio da análise de dois periódicos da Ordem dos Velhos Jornalistas (entidade criada, em 1957, por antigos sócios e ex-conselheiros da Associação Brasileira de Imprensa), a autora procura detectar os ecos de uma idealização deste grupo profissional e a formação de uma certa identidade. Tomando o lugar da tradição, esse grupo de jornalistas definia o ethos da profissão para as novas gerações. A memória era modo de traçar uma desejada continuidade entre passado e futuro.

Fechando a coletânea, retornamos à questão da representação do futuro na ordem neoliberal. O artigo de Lucia Maria Marcellino de Santa Cruz examina a representação midiática do discurso da Responsabilidade Social Empresarial, caracterizando-a como "palavras de ordem", no sentido proposto por Gilles Deleuze e Félix Guattari. Descrentes da revolução e dos projetos de engenharia social, parece nos restar apenas a "ação integradora" das empresas, apesar de muitos continuarem a achar que "empresa socialmente responsável" é aquela que paga bem seus empregados e não necessariamente aquela que aparece nos jornais patrocinando projetos para jovens pobres "empreendedores".

Sem a pretensão de esgotar a discussão em torno de um tema tão abrangente e complexo, os autores desta coletânea esperam oferecer ao leitor referências conceituais e empíricas que lhe permitam entender melhor a natureza e as implicações éticas, sociais e políticas das incontáveis representações e discursos midiáticos sobre o *tempo* e o *outro* que informam a nossa vida cotidiana, ajudando a configurar experiências individuais subjetivas e conhecimentos pretensamente objetivos.

# O poder do indivíduo diante do sofrimento: representações das doenças cardiovasculares na mídia

*Paulo Vaz, Mariana Pombo,*
*Guilherme Pecly e Maria Fantinato*[1]

As representações de sofrimento diariamente veiculadas pela mídia afetam nossa ética e política porque elaboram e consolidam concepções de senso comum sobre responsabilidade individual e coletiva. Atribuir responsabilidade significa demarcar o poder da ação humana em relação ao que aconteceu e ao que pode vir a acontecer.

Um modo de a atribuição de responsabilidade afetar a ética e a política consiste na construção social da temporalidade individual e coletiva. As narrativas jornalísticas costumam estar ordenadas por uma indagação contrafactual. Um sofrimento é apresentado como tendo origem numa dada ação ou contexto social; para que esse sofrimento não tivesse existido, implícita ou explicitamente, as narrativas indagam sobre que outra escolha poderia ter sido feita ou sobre qual seria a capacidade humana não-atualizada de transformar o contexto. A definição pela mídia da causa do sofrimento e de sua alternativa "redentora" é

[1] Paulo Vaz é professor da ECO/UFRJ e pesquisador do CNPq; Mariana Pombo, Guilherme Pecly e Maria Fantinato são bolsistas de Iniciação Científica e estudantes de graduação na mesma instituição.

estipulação do que deveria ter sido feito; a indagação contrafactual é também um questionamento sobre a justiça.

A invenção retrospectiva do possível pela mídia – precisamente, a criação da possibilidade de uma ação no passado diferente da que existiu – é uma forma de imaginar socialmente um horizonte onde os sofrimentos hoje vigentes podem ser reduzidos. As narrativas de sofrimento participam da construção social do futuro, isto é, das imagens predominantes do que pode vir a existir e do que se acredita que os seres humanos podem fazer, seja para realizá-las, quando se trata de imagens positivas, seja para evitá-las, quando são negativas. Os meios de comunicação propõem, portanto, uma teia de causalidade vinculando o passado ao futuro, na qual o que está em jogo é o poder da ação humana diante dos sofrimentos.

Um outro modo de essas representações afetarem a ética e a política é pela demarcação dos lugares de vítima e causador. É preciso dizer que o causador pode ter uma responsabilidade direta, por sua ação, ou indireta, por inação, quando é suposto que ele – um indivíduo ou uma instituição – teria sido capaz de evitar um sofrimento e, mesmo assim, não fez nada para impedi-lo. Delimitar o lugar de vítima é estabelecer quais segmentos sociais merecem nossa atenção e lamento, pois esse lugar concretiza a injustiça ao dar corpo à idéia de sofrimento inocente. Quanto ao causador, a relevância das narrativas jornalísticas está na maneira como instituem a responsabilidade indireta, porque aí se definem o poder da ação coletiva e a relação do leitor-espectador com a política. Consideremos a apresentação de miseráveis pela mídia. É raro haver relato que atribua seu estado às suas atitudes e comportamentos. O comum é a fórmula: “eis um miserável; podemos fazer algo para reduzir sua penúria; então devemos”. A audiência é convidada a se situar, em última instância, como causadora do sofrimento, seja por não se compadecer o suficiente, seja porque sua passividade política perpetua o contexto social produtor da miséria. Passemos para uma narrativa de crime em que a responsabilidade indireta é lançada sobre a ineficiência da polícia: o leitor se identificará primariamente com a vítima – além de ser igualmente inocente, ele se concebe como podendo se tornar uma vítima no futuro – e se colocará na posição de um quase-cliente a cobrar do Estado que seja eficiente no provimento de segurança.

Um caso singular na construção dos papéis de vítima e agressor é aquele no qual o indivíduo ocupa simultaneamente os dois lugares. Essa ocupação dupla às vezes funciona como justificativa de um estado de coisas para um leitor que se compadece de um sofredor – como no discurso que atribui aos desempregados a responsabilidade pelo seu sofrimento em razão de sua inépcia ou indolência. Em outras palavras, a dupla ocupação, quando funciona como justificativa, apela para uma forma de distinção social prévia ao discurso. Mas essa forma singular de posicionamento do sofredor pode ser um convite à sua atividade. Nesse caso, há o estabelecimento de uma nova distinção social através do discurso, aquela entre quem sabe e quem não sabe cuidar de si.

Expor sofrimentos implica representar sua instância máxima para nossa cultura, a morte. Quando folheamos jornais ou nos colocamos diante das telas de tevê, uma primeira forma de sua presença na mídia se destaca: a morte atual, súbita e aparentemente aleatória, como em catástrofes naturais, terrorismo e crime. Aparentemente porque a representação midiática não cessa de se interrogar sobre a parcela de responsabilidade humana nesses acontecimentos.

Um documentário da BBC sobre o tsunami de dezembro de 2004 mostrava o pavor de inúmeras vítimas e de alguns sobreviventes afortunados, mas seu fio condutor eram os entraves técnicos e políticos para que a informação sobre o terremoto chegasse às áreas que ainda tinham tempo para retirar as pessoas da proximidade da orla. O esforço jornalístico não foi reduzido à descoberta de imagens inéditas e aterradoras; requereu encontrar ainda o que sustentava as afirmações de que o custo humano da catástrofe poderia ter sido menor e de que devemos sofisticar os sistemas de registro e transmissão para melhor reagirmos diante de eventuais terremotos. No caso do 'crime de rua', que tem a marca do aleatório, o discurso jornalístico no Brasil costuma enquadrá-lo em três eixos narrativos: o que aconteceu poderia ter acontecido com qualquer um; o que aconteceu pode acontecer novamente; o que aconteceu poderia não ter acontecido (Vaz, Cavalcanti e Sá-Carvalho, 2005; Vaz, Sá-Carvalho e Pombo, 2005). Os três eixos desenham uma mescla de responsabilidade individual e coletiva tida como capaz de evitar o futuro imaginado como catástrofe: o aparato estatal de prevenção e punição deve se tornar mais eficiente, e o indivíduo precisa se precaver a fim de reduzir as chances de vitimização.

Uma outra forma, hoje freqüente, de representação da morte está nas notícias sobre saúde. Trata-se de uma representação paradoxal; nelas, a morte está sempre ainda por vir, pois seu advento pode ser adiado por meio de escolhas cientificamente fundamentadas do indivíduo em relação a seu estilo de vida. A morte aparece como ausência atual e presença longínqua no horizonte, a ser cada vez mais recuada através de atos cotidianos. Este artigo visa conceituar essa temporalidade e a distinção que então se constrói entre os que sabem cuidar de si e os que não sabem. Para tanto, será analisado um conjunto de notícias sobre risco de doenças cardíacas publicadas no jornal *Folha de S. Paulo* no período de janeiro de 1994 a dezembro de 2005.

## O coração na mídia

As notícias sobre doenças cardiovasculares são particularmente esclarecedoras em relação à construção da temporalidade. Segundo a Organização Mundial da Saúde, essas doenças são a maior causa de morte na sociedade contemporânea. Elas também têm uma peculiaridade que as torna atraentes para a mídia: o espaço para a intervenção terapêutica é restrito, pois o surgimento do sintoma – a manifestação subjetiva da doença – tende a coincidir com a morte ou com uma profunda incapacitação física. De fato, quando a dor no coração – a manifestação subjetiva – passou a ter como substrato objetivo a obstrução das artérias e a angina tornou-se infarto, o saber médico teve que se dedicar a construir relações de causalidade entre práticas cotidianas – alimentação, fumo, bebida, etc. – e a obstrução arterial (Aronowitz, 1998). Essa ênfase na prevenção ligada a ações dos indivíduos foi decisiva para a criação de um novo vínculo entre mídia e medicina.

Ao participar da formação de uma temporalidade e da fundação de distinções sociais, essas notícias estabelecem uma experiência médica da doença e da morte. Assim, sua análise é enriquecida pelo contraste com a experiência médica imediatamente anterior. Propomos que esse contraste seja sintetizado pela passagem da norma ao risco como conceito básico a partir do qual se pensa o poder da ação humana. De fato, a norma é um conceito que, como o de progresso ou o de revolução, supõe que a ação humana é limitada pelo contexto social; desse modo, a responsabilidade pelo sofrimento se localiza na capacidade de os indivíduos transformarem esse contexto que os determina. Já o conceito de risco propõe que toda ocorrência passada ou futura depende de uma decisão humana. O fim das ideologias significa, aqui, que uma escolha só é afetada pelos seus elementos intrínsecos, sem que o contexto social interfira favorecendo certas alternativas de ação na mente dos indivíduos.

A passagem da norma ao risco coincide temporal e teoricamente com a conhecida discussão sobre o surgimento da pós-modernidade. Nos dois casos, trata-se de um jogo de continuidade e descontinuidade. Norma e risco são conceitos opostos à compreensão religiosa do mundo, a qual localiza o poder da ação humana diante do sofrimento à árdua obediência às leis divinas. Os dois conceitos também estão em continuidade quando significam o esforço médico de encontrar uma causa da morte: em ambos, causa significa o que torna um acontecimento necessário em um evento contingente (Fagot-Largeault, 1989). Identificar uma causa de morte é estipular aquilo cuja ausência permitiria ao indivíduo manter-se em vida. Expressam, portanto, a laicização da esperança cristã de salvação, ao transformarem o sonho de vida após a morte no empenho por não morrer.

A descontinuidade reside no modo como concebem a operação da causa. No esforço de atribuir sentido à assim chamada "transição epidemiológica" – a mudança nas principais causas de morte das doenças infectocontagiosas (como tuberculose e sífilis) para as crônico-degenerativas (como infarto, AVC e os cânceres) –, a medicina transformou profundamente o nexo entre ação e sofrimento. Antes, a doença advinha da exposição – necessária, suficiente e próxima no tempo – a um agente patógeno externo; desde a década de 1950, o que se tem é um nexo probabilístico entre "exposição" a um fator de risco – de fato, uma prática cotidiana tida como estilo de vida e, por isso, uma escolha do indivíduo – e a eventualidade remota de adoecimento (Evans, 1993). Mostraremos que essa mudança na definição de causalidade das doenças é reconfiguração da responsabilidade humana e está articulada a transformações na temporalidade individual e na forma de ação coletiva.

Uma última observação antes de avançar à análise das notícias. Uma história das diferentes formas de se conceber a responsabilidade humana diante dos sofrimentos está em recuo em relação ao modo contemporâneo de estabelecer uma rede de causalidade conectando o passado ao futuro. De um lado, ela se distancia da história como objeto no qual se desenrola o drama humano ao postular sua condição de possibilidade: a emergência da crença de que os seres humanos são diretamente – isto é, sem a mediação de uma relação com agentes divinos – responsáveis por grande parte do sofrimento que experimentam. De outro lado, ao explorar a diferença entre norma e risco, essa história intelectual torna contingente a obsessão contemporânea em colocar uma escolha humana na origem de todo sofrimento, com a conseqüente restrição da atividade política à demanda por eficiência do Estado, assim como o seu correlato, que é a limitação do futuro a uma catástrofe a ser evitada. Afinal, quando se acreditava na norma, no progresso e na revolução, o futuro era róseo e a ação coletiva consistia, sobretudo, na transformação do contexto social.

Passemos à constituição do corpus analisado. As reportagens foram coletadas no arquivo digital da *Folha de S. Paulo*, disponibilizado pelo site UOL, que compreende o texto integral do jornal desde o ano de 1994. A escolha desse arquivo se deve a duas razões principais: a primeira é a facilidade na coleta de dados; a segunda, o fato de a *Folha de S. Paulo* ser considerado um jornal formador de opinião, com um público-alvo tipicamente de classe média.

Concretamente, a coleta começou pela digitação dos termos "risco" e "coração" no mecanismo de busca do arquivo, que respondia apresentando todas as notícias nas quais ambos os termos estavam presentes. Posteriormente, foram descartadas as reportagens que não tratavam de doenças cardíacas e nas quais, portanto, os termos-chave não tinham um sentido técnico, médico. O número total para o período de janeiro de 1994 a dezembro de 2005 foi de 333 notícias. Sua distribuição anual aparece no gráfico abaixo:

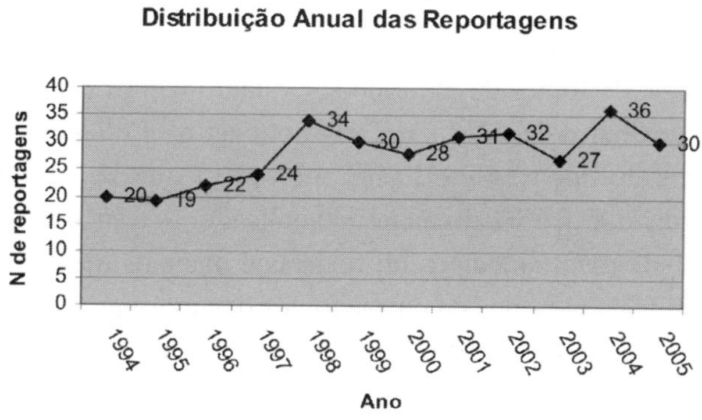


Vê-se imediatamente que não há muitas reportagens por ano; o número de dias é ainda mais reduzido, na medida em que é costumeiro haver mais de um registro num único dia. Percebe-se também que houve, ao longo dos anos, um aumento na quantidade de notícias – o primeiro triênio tem uma média de 20; o último, uma média de 31. Porém, como a base de comparação é reduzida, o aumento de 50% entre os triênios não é tão relevante.

O que se destaca no gráfico é a constância. Talvez o número de reportagens seja relativamente baixo porque são raros os eventos com valor de notícia; no campo das doenças cardíacas, não há muitas descobertas novas nem em relação a técnicas, nem a fatores de risco. Mas a consolidação do conhecimento e da técnica médica não impede essa surpreendente uniformidade na atenção jornalística. De fato, as notícias tendem a ter um grau elevado de redundância, em termos seja do conteúdo, seja das ocasiões anuais para se inseri-las no jornal: congressos médicos, campanhas de saúde pública, a aproximação das férias, a chegada do inverno, a véspera de decisões de Copa do Mundo, etc.

A constância no número e a redundância do conteúdo interessam teoricamente. Como se trata de um convite a orientar a vida de acordo com a verdade, a adesão dos indivíduos às recomendações médicas publicadas na mídia depende da credibilidade da fonte e da ausência de controvérsia. A possibilidade de o indivíduo escolher entre diferentes maneiras de cuidar de sua saúde seria tanto maior quanto mais houvesse diversidade de fontes de autoridade e quanto menos ele acreditasse em qualquer uma delas. No caso das notícias na *Folha de S. Paulo* sobre riscos de doenças cardíacas, porém, o que se encontra é a homogeneidade. Em 83% do material analisado, as fontes de autoridade são explicitamente médicos ou revistas e manuais médicos. O restante não indica a presença de outras fontes de autoridade diferentes da medicina; também não encontramos nenhuma menção a medicinas ou terapias alternativas nos 12 anos estudados. Na maior parte dos casos, a ausência explícita se deve a uma economia de espaço, com o jornalista assumindo o lugar de autoridade no interior de uma discursividade científica. Não há, portanto, uma gama extensa de opções entre regimes de verdade para o indivíduo conceber meios de reduzir suas chances de contrair uma doença cardíaca. É significativa também a construção da credibilidade da informação. Em 47% dos casos a autoridade da fonte está apoiada no imaginário do público de classe média: os resultados ou recomendações vêm de médicos e revistas internacionais ou de médicos do Incor – Instituto Nacional do Coração –, uma instituição reconhecida no Brasil e no exterior.

Se não há opções em relação aos regimes de verdade, a margem de escolha do indivíduo depende da dúvida quanto à veracidade das recomendações médicas. De fato, com o passar dos anos, um leitor atento e memorioso observaria contradições nos resultados das pesquisas médicas – por exemplo, em 21/04/1994, uma notícia afirma que "comer pão pode reduzir o risco de doenças cardíacas"; em 13/02/2000, o jornal informa que "pão traz risco para colesterol". Esse leitor ainda ficaria incerto sobre alguns dados estatísticos; uma mulher fumante que toma pílula anticoncepcional aumentaria 10 vezes seu risco de doença cardíaca em 1999, 32 vezes em 2001 e 30 vezes em 2002. Há mais casos; no entanto, é preciso relativizar o peso dessas discrepâncias. Em um certo sentido, elas são superficiais, pois as notícias reiteram uma única crença: o que se faz no dia-a-dia é importante para o futuro. Nenhuma delas propõe que a escolha dos alimentos não tem relevância alguma para o futuro do indivíduo ou que alguns deles são proibidos por prescrição divina.

Para um olhar preocupado com a mudança na forma de cuidado de si provocada pela aliança entre medicina e mídia – com esta exercendo o papel pedagógico de divulgação de riscos –, não importa tanto a possível incerteza do leitor sobre se comer pão efetivamente aumenta ou reduz as chances de adoecer ou sobre qual é precisamente o acréscimo de risco provocado pela conjunção entre fumo e pílula anticoncepcional; o decisivo é, de fato, a reiteração diária nos diferentes conteúdos de que há um nexo quantificável entre futuro longínquo e ações cotidianas que anteriormente eram experimentadas como não tendo resultados a médio e longo prazos. O conceito de risco implica justamente trazer, para uma decisão do indivíduo no presente, o horizonte de um acontecimento futuro indesejável, através da simulação de um nexo causal probabilístico.

O peso das contradições também é relativizado pelo modo como as notícias sobre saúde aparecem no jornal. Sua percepção dependeria de uma memória espantosa. Em 88% dos casos não existia controvérsia dentro da própria matéria, isto é, ou não há nenhuma remissão a pesquisas anteriores (78%), ou a contradição é apresentada como progresso do conhecimento (pensava-se antes que X; agora sabemos que Y), ou a controvérsia é descartada porque denunciaria interesses econômicos enviesando os resultados (por exemplo, pesquisas sobre a inocuidade do fumo passivo feitas por cientistas ligados à indústria do fumo). Em apenas 7% dos casos (22 notícias, em 12 anos) algum resultado discrepante é efetivamente discutido pelos médicos. A incerteza inerente à ciência por ser uma prática humana não é notícia.

A temporalidade dos meios de comunicação se harmoniza com aquela que a medicina preditiva propõe aos indivíduos: de um lado, temos a tendência ao esquecimento – a outra face da construção midiática de um presente sempre repleto de "novidades" –, dificultando a percepção de contradições nos resultados das inúmeras pesquisas médicas; de outro, há a reiteração diária da crença de que se bem cuidarem de sua saúde, se conseguirem controlar certos prazeres e ordenarem seu corpo para que realize certas práticas, os indivíduos podem ainda uma vez se afastar da vizinhança da morte.

A temporalidade proposta ao indivíduo depende, sobretudo, da delimitação do poder da ação humana diante do sofrimento. Através de um jogo entre controle do corpo e sofrimento, o futuro se abre na forma da relação de crédito e dívida, recompensa e castigo. Para perceber essa relação, o primeiro passo da pesquisa foi determinar o foco principal nas notícias sobre doenças cardíacas. Constatou-se que em 59% dos casos o foco está no nexo entre estilo de vida e doenças do coração, seja ao divulgar uma nova pesquisa associando elementos do cotidiano e doenças cardiovasculares (35% do total), ou ao reiterar nexos já estabelecidos entre vida cotidiana e doenças cardíacas (24% do total). O dado é significativo na medida em que o foco principal poderia ser ou a descoberta de novos medicamentos, terapias e testes diagnósticos, ou outras doenças, com a menção às doenças cardíacas sendo acessória. Ainda mais expressiva é a verificação de que em 75% das reportagens, mesmo que de forma indireta, é proposto o nexo entre doenças do coração e estilo de vida.

Estipular esse nexo é modo também de determinar quem é o agente capaz de prejudicar ou favorecer a saúde dos indivíduos. Do total de notícias em que um agente era explícita ou implicitamente mencionado (87%, n=290), 22% propõem a medicina como atuante principal (por exemplo, uma notícia sobre um novo medicamento capaz de reduzir o nível de colesterol), 3% mencionam fatores de risco extra-individuais (como poluição ou mudança de estação) e em 75% dos casos o indivíduo pode fazer alguma coisa em relação ao seu possível sofrimento futuro.

Esse resultado sinaliza que, para a medicina contemporânea, um fator de risco, além de quantificável, é passível de alteração: praticamente todos os hábitos de vida – alimentação, fumo, bebida, vida sedentária – podem ser modificados. Mesmo os diagnósticos genéticos permitem, cada vez mais cedo, descobrir a propensão a contrair determinadas doenças e, a partir daí, evitar práticas que levariam à sua concretização. Indica também que, nas notícias sobre doenças do coração, o indivíduo é majoritariamente responsabilizado pelos riscos que corre. Ao se estabelecer conexão entre práticas cotidianas e doenças do coração, ao se colocar o indivíduo como vítima de seus próprios hábitos, o que se faz é transferir o controle da doença para ele. Essa ligação também reduz a incerteza em relação ao futuro por dar sentido à vida e ao sofrimento. O conceito de fator de risco preenche o vazio de respostas para questões como "por que esta pessoa adoeceu e não outra?", "por que neste dado momento?" e "o que pode ser feito para evitar a doença e a morte?"(Aronowitz, 1998).

De fato, a mudança nos hábitos de vida é freqüentemente apresentada como primeira alternativa para reduzir as chances de adoecer. Os remédios aparecem como segunda alternativa, necessária quando a mudança no cotidiano do indivíduo não for suficiente. Em entrevista publicada na *Folha* no dia 28/10/04, um médico propõe: "É necessário sempre orientar o paciente para o consumo de menos gordura e a prática de exercícios físicos. Essa combinação é fundamental. Contudo, se isso não adiantar, a medicação deve ser prescrita. Mas, mesmo assim, a pessoa deve continuar a manter a dieta alimentar indicada e a praticar exercícios, pois eles ajudam a queimar a gordura".

A ênfase no poder do indivíduo em relação à sua vida e morte através de atos banais pode ser percebida nas notícias que conectam alimentação e doenças cardíacas. Pelo nexo com o colesterol e a pressão alta, certos alimentos e temperos (carne vermelha, ovo, margarina, sal, etc.) tornaram-se venenos, a serem consumidos cuidadosamente. Outros alimentos, porém, por alguma substância química que contenham, passam a ser vistos como remédio. A lista parece crescer ano a ano – eis alguns casos: "comer morango ajuda a reduzir o risco de se contrair câncer e doenças do coração" (30/05/2000); "para garantir (...) saúde das artérias, o que significa reduzir os riscos de ataque cardíaco e derrame, basta comer peixe gordo uma única vez na semana" (11/03/2001); "já se sabe que o alho tem função antioxidante e que reduz a capacidade de agregação de plaquetas, o que melhora a circulação do sangue e diminui o risco de doenças cardiovasculares" (28/11/2002); "consumir cerca de três maçãs por dia (10 gramas de fibra) reduz o risco de ataque cardíaco em 14% e o risco de morrer por doença coronária em 27%" (04/03/2004); "comer 60 g de grãos de soja todo dia ajuda a combater o risco de acidente vascular cerebral, aterosclerose e infarto" (15/04/2004); "comer uma pequena quantidade de chocolate amargo todos os dias pode diminuir o risco de ataque cardíaco e derrame" (17/03/2005). A lista é longa; poderíamos ter escolhido menção às nozes, ao espinafre, ao pão, ao tomate, à cenoura...

As zonas de atividade para o indivíduo são dadas pela construção dos fatores de risco e mencionam, sobretudo, a alimentação, o abandono do cigarro, os exercícios, o estresse e a bebida. O gráfico abaixo mostra a distribuição das referências. Cabe notar que a sua soma é maior do que o total de notícias, pois é comum haver alusão a mais de um fator de risco numa mesma matéria.

**Quantidade de referências aos fatores de risco**

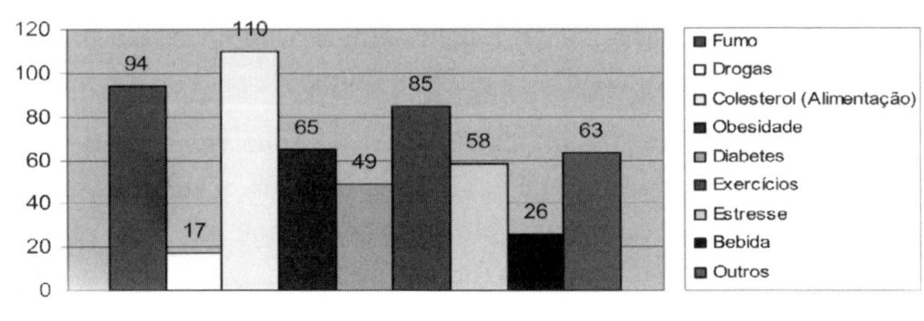

Se somarmos as menções ao colesterol às recomendações contra a obesidade e o cuidado com a diabetes (especialmente porque as notícias frisam o tipo adquirido, ligado à obesidade), perceberemos que a atenção à alimentação ocupa a frente da cena (40% do total de menções), o que mostra a ligação entre cotidiano e futuro e generaliza – na medida em que ninguém pode deixar de se alimentar – aqueles que devem cuidar de si. A frase "Você é o que você come", pronunciada em uma campanha publicitária, tornou-se lugar comum, pois a alimentação tem um duplo vínculo com a identidade: através da aparência e da distinção social entre os que sabem e os que não sabem cuidar de si.

## A mudança na temporalidade

O conceito de norma articulava uma temporalidade vinculada ao cuidado de si. Essa temporalidade, porém, supunha uma divisão nítida entre momentos de preocupação e despreocupação com a saúde. Voltemos ao conceito de causa nas doenças infectocontagiosas. De início, sua concepção dependia do surgimento da anatomia patológica, que objetivou a dor do indivíduo em uma lesão dos tecidos do corpo. Pasteur avançou na objetivação ao associar a lesão à ação de um agente patogênico externo, tido como causa suficiente (basta a exposição ao agente para que apareça a doença, o que é testado ao se verificar se algum indivíduo saudável foi exposto ao agente) e necessária (não é possível haver a doença sem a presença do agente; testar a necessidade significa analisar se alguém contraiu a doença sem ter sido exposto). A relação de causa e efeito também supunha a proximidade temporal: pouco tempo após a exposição ao vírus ou à bactéria, o indivíduo contraía a doença e apareciam os sintomas que o conduziam ao médico. De fato, é recente a atenção médica a doenças infectocontagiosas que apresentam um intervalo longo entre a exposição e a aparição dos sintomas. A Aids é o caso mais conhecido.

Essa concepção de causalidade permitia duas formas de prevenção, uma médica e a outra, política. A primeira era através da vacina: inoculavam-se no indivíduo bactérias ou vírus enfraquecidos de modo a estimular o sistema imunológico e a garantir que, numa eventual exposição posterior, ele já teria fortalecido suas defesas. A outra estava centrada nas condições sociais – isto é, numa causalidade estrutural – que favoreciam a existência e disseminação do agente patogênico. Em 1920, um médico estudou as mortes por tuberculose na cidade de Paris e concluiu seu relatório afirmando que "(...) na classe dos bairros mais pobres, a metade de todos aqueles que morrem é condenada à morte por sua situação social" (Fagot-Largeault, 1989). Cuidar da saúde dos indivíduos significava, então, reduzir a desigualdade social.

Podemos agora descrever essa temporalidade do cuidado com a saúde quando as doenças infectocontagiosas eram a causa maior de morte. Durante o período em que o indivíduo não sentia dor, não havia muita preocupação com a saúde; no máximo, eram observadas as regras médicas de higiene. A partir do instante em que experimentava uma dor, a pessoa ia ao médico para que este diagnosticasse, isto é, transformasse a experiência subjetiva em uma doença observável. Desde então, ela aceitava limitações em sua prática diária, podendo até ser internada em um hospital. A preocupação com a saúde e a ascese para enfrentar a doença se davam a partir da experiência de sofrimento. Se o indivíduo se recuperasse do episódio de doença, retornava ao horizonte de despreocupação próprio do estado de normalidade. Essa fronteira nítida entre cuidado e descuido estabelecia a diferença entre alimentação diária e comida de hospital e, mais genericamente, a diferença entre alimento e remédio. Alimentar-se era uma atividade cotidiana, sem conseqüências para além da saciedade; tomar remédio só cabia nas ocasiões de doença.

A limitação temporal nos momentos em que é preciso preocupar-se com a saúde restringia também o aparecimento das notícias sobre doença na mídia, concentradas nas ocasiões de surtos epidêmicos. Pela mesma razão, as campanhas de saúde pública, quando se dirigiam aos saudáveis, enfatizavam a vacinação e a higiene; costumeiramente, porém, elas se endereçavam aos que já estavam doentes e ou não sabiam de seu estado, ou sabiam, mas fugiam da autoridade médica (Aronowitz, 1998:115).

O conceito de fator de risco, em termos epistemológicos, não é uma causa nem suficiente, nem necessária de uma doença; ele designa, sim, o que amplia as chances de adoecer. A primeira formulação do conceito ocorreu no final da década de 1940 e associava fumo e câncer de pulmão: os pesquisadores mostraram que havia fumantes que não desenvolviam o câncer (não é causa suficiente), assim como pacientes que não eram fumantes (não é causa necessária); ao mesmo tempo, mostraram que era muito mais freqüente fumantes desenvolverem o câncer do que não-fumantes. Era preciso, contudo, sofisticar o raciocínio causal, na medida em que a correlação estatística entre fumo e câncer podia ser espúria, com a causa da maior freqüência do câncer entre fumantes sendo alguma outra característica biológica dessa população que não teria sido singularizada. A sofisticação – e generalização para outras doenças – ocorreu com os estudos prospectivos sobre doenças cardiovasculares e estilo de vida iniciados no final da década de 1950. Para sustentar que a conexão não é espúria, é preciso estabelecer uma relação de antecedência e conseqüência, o que só um estudo que acompanha os indivíduos por um largo período de tempo pode fazer. Por fim, a última singularidade do conceito de fator de risco como compreensão de causalidade já foi antecipada: é o intervalo longo entre exposição ao fator e aparecimento da doença.

O novo vínculo da mídia com a medicina dependerá da ligação do conceito de fator de risco, seja com atos cotidianos, seja com o intervalo longo entre exposição e sintoma. Desde então, as campanhas de saúde pública se endereçam, não aos que estão doentes, mas aos que podem adoecer – no caso das doenças cardíacas, a todos. Mais radicalmente, como todas as pessoas possuem predisposição genética a desenvolver alguma doença e como se considera que praticamente todos os hábitos cotidianos comportam riscos – não existe risco zero –, vivemos numa sociedade formada por quase-doentes.

A fronteira anterior entre saúde e doença pressuposta pelo conceito de norma é rompida, pois é criado um estado de quase-doença generalizado: mesmo não sentindo nenhuma limitação no presente e diante de oportunidades de prazer, todo e qualquer indivíduo deve alterar seu estilo de vida dada a possibilidade de adoecer no futuro. De fato, a medicina contemporânea embaralha as distinções, existencialmente nítidas, próprias à sucessão moderna: saúde-doença-intervenção-retorno à saúde. Do ponto de vista do estado final, para algumas doenças psíquicas, como a depressão, não há retorno à normalidade, pois o medicamento passa a ser necessário para o resto da vida; ele se torna uma forma de alimento e prótese tecnológica. Do ponto de vista do estado inicial, a epidemiologia dos fatores de risco, as descobertas da genética e a ampliação da distância temporal entre diagnóstico e manifestação subjetiva da doença convidam todo indivíduo a cuidar de si enquanto não sente nada; como vimos no caso das doenças cardíacas, a alimentação torna-se um remédio. Um outro signo da criação desse estado de quase-doença é a crescente medicalização dos fatores de risco. Hipertensão, colesterol alto e, mais recentemente, a obesidade, que não são doenças, mas fatores de risco que ampliam a probabilidade de contrair doenças cardíacas, são medicalizados na forma de testes para descobri-los – quando são silenciosos ou invisíveis – e de medicamentos para controlá-los.

A construção desse estado generalizado de quase-doença que incita à atividade de evitar doenças futuras significa a proposição de uma experiência médica da morte. Para que os indivíduos cuidem de si, a morte deve estar a uma distância adequada, aquela na qual acreditam que podem evitá-la: nem muito afastada no horizonte das decisões cotidianas para que seja ignorada quando se age, nem próxima demais, de modo a que se pense que nada pode ser feito para adiá-la e que o melhor é repensar a relação com a vida.

Nas notícias que analisamos, o discurso médico delimita essa morte a distância ao propor que nunca é cedo demais para começar a evitar o risco das doenças cardíacas e que nunca é tarde demais para se fazer alguma coisa. Em 22/11/1998, um médico explicita a esperança de uma longa vida quando se começa a cuidar de si desde cedo: "Quanto antes forem detectados os fatores de riscos – na infância ou adolescência –, mais fácil será controlá-los e adiar o aparecimento das doenças cardiovasculares para, pelo menos, após os 70 anos". Em 17/06/2004, uma pesquisa soa o alarme: "É cada vez mais comum encontrar crianças de dez anos com colesterol alto, hipertensão e diabetes tipo 2, principais fatores de risco para o coração. E o pior: aqueles a quem compete reverter esse quadro não enxergam o problema". Para os jovens adultos, aqueles que já devem ser autônomos no cuidado de si, o discurso médico incitando à preocupação com a saúde está apoiado na distância temporal entre exposição ao fator de risco e manifestação da doença: "Quando estão com 22 anos em média, constatou-se que a maioria desses jovens já forma população de risco para o coração: mais de um quinto está acima do peso, quase 20% têm hipertensão, cerca de 40% fumam e muitos têm colesterol elevado e não fazem exercícios... Ninguém acredita que os hábitos de hoje terão conseqüências daqui a 15 ou 20 anos" (22/09/2002).

Embora possa parecer paradoxal em relação ao conselho de cuidar de si desde cedo e continuamente, o discurso médico quer dar esperanças àqueles para quem a morte pode parecer próxima: os idosos, os cardíacos e as pessoas que até então nunca cuidaram de si. Para os idosos, em 20/11/1999, recomenda-se: "Praticar exercícios, principalmente no caso de pessoas idosas, é uma forma de prevenir doenças cardíacas e circulatórias". Em relação aos já doentes, é dito: "Com os exercícios, o prognóstico de vida dos cardíacos aumenta dois anos" (17/08/2000). Para aqueles cujo estilo de vida torna muito provável que adoeçam, também há esperança: "Mulheres sedentárias que começam a caminhar quatro vezes por semana a partir dos 40 anos, durante 30 minutos, passam a ter quase o mesmo risco de sofrer ataque cardíaco do que aquelas que se exercitaram a vida toda" (11/03/2001). Essa reiteração de mensagens esperançosas ocorre porque a ameaça de um adolescente ou jovem não se cuidar por achar que mais tarde terá tempo é menor do que a de os indivíduos pensarem que a morte é inevitável. Afinal, a promessa de poder adiar a morte é fonte maior da aceitação de regras de comportamento em uma sociedade laicizada.

## Uma moralidade científica, moderada e hedonista

A dimensão moral no conceito de fator de risco é aparente na sua retomada do nexo religioso arcaico entre sofrimento e castigo, segundo o qual toda falta moral recebeu ou receberá uma punição. Muito concretamente, para o saber médico, levar uma vida descuidada é contrair uma dívida que pode vir a ser cobrada na forma de adoecimento e morte prematura; adotar um estilo de vida saudável, por sua vez, é receber um crédito configurado como mais tempo para viver uma vida prazerosa. Sob outra perspectiva, o conceito de fator de risco é uma forma de dar sentido ao sofrimento, pois tanto explica por que alguns sofrem e outros não quanto propõe ao indivíduo que ele tem poder sobre seu futuro se souber cuidar de si e mudar de vida.

É preciso nuançar essa dimensão moral. Analisemos o conceito genérico, o de risco – o acréscimo do termo "fator" é uma especificação científica recente que visa tanto assegurar que o nexo entre ação presente e perigo futuro não é imaginário quanto reduzir a incerteza em relação ao número de perigos que confrontamos. O conceito de risco se aplica a uma situação em que o indivíduo está diante de uma oportunidade de ter prazer e é levado a considerar o que pensará no futuro de sua escolha presente se por acaso a ação tiver uma conseqüência negativa. Trata-se de uma mudança na direção temporal do arrependimento: quer-se que a pessoa se arrependa não depois, mas antes de tomar uma decisão, pela mera possibilidade de vir a sofrer. Desse modo, o indivíduo fica em dúvida acerca da efetividade e do valor do controle do corpo.

O sacrifício é tão mais atraente quanto mais potente for aquele que nos concede o crédito; não há razão para duvidar que o bom comportamento nos abre as portas do paraíso se Deus é onipotente. A vacância do divino, que tem hoje a forma de um nexo probabilístico entre ação e sofrimento, nos deixa incertos sobre a recompensa a que teremos direito se nos sacrificarmos: poderemos mesmo assim contrair a doença e, pior, vamos morrer de qualquer jeito e talvez nos arrependamos no futuro, não de ter adoecido por não termos nos controlado, mas de não ter aproveitado a vida por nos contermos em excesso.

Consideremos em conjunto as dificuldades para a adoção das recomendações médicas que aparecem na mídia. Pelo nexo ser probabilístico, o indivíduo sabe que a doença evitada cotidianamente pode, de todo modo, nunca advir – talvez não seja preciso cuidar de si – ou, inversamente, a morte pode chegar antes do planejado em algum acontecimento fortuito – talvez não adiante cuidar de si. Pode ser também que perceba que é impossível saber qual será o seu sistema de crenças no futuro – ele poderá avaliar este presente de decisão de forma diferente e, por isso, se arrepender por não ter agido quando teve oportunidade. Esse indivíduo pode ainda ser um consumidor ávido de notícias sobre saúde e, por sua avidez e credulidade, perceber contradições nas pesquisas; duvidará, assim, mesmo que levemente, da cientificidade das informações acerca dos riscos que recebe cotidianamente. Para agravar a dificuldade de aderir às incitações de mudar de estilo de vida, à diferença da intervenção médica a partir da manifestação do sintoma, o indivíduo deve se controlar não quando está sofrendo, mas quando está diante de uma oportunidade de prazer. Propõe-se ao indivíduo que ele sofra (se abstenha de prazeres e se exercite) quando não está sofrendo e pela mera probabilidade de vir a sofrer no futuro.

Diante de tanta incerteza sobre o valor do sacrifício e colocado numa situação existencial desfavorável a essa imposição voluntária da dor, por que o indivíduo, ainda assim, orienta suas práticas cotidianas de acordo com as recomendações médicas? Porque, para muitos, é melhor acreditar que se pode fazer alguma coisa do que estar desorientado; essa preferência responde pela maior adesão dos indivíduos às recomendações médicas a partir da meia-idade: a vizinhança da morte aguça a tentação de crer. E também porque os estilos de vida saudáveis são apresentados como pouco custosos, moderados.

Um primeiro elemento da moderação no sacrifício é a valorização do prazer sexual: o controle do corpo não pode incidir sobre esses prazeres tão intensos. Nas notícias analisadas, não encontramos nenhuma proposição de abstinência; ao contrário, uma pesquisa divulgada em 07/12/2000 assegura que o prazer sexual faz bem ao coração: "O risco de sofrer ataque cardíaco ou derrame cai pela metade quando os homens têm de três a quatro orgasmos por semana". Mesmo para os já doentes, ele é permitido: "As pessoas que sofrem de insuficiência cardíaca podem ter uma atividade sexual normal sem que aumentem perigosamente os riscos de infarto" (12/05/1996). Em termos de moralização do comportamento sexual, o máximo a que se chegou foi a divulgação de um nexo entre relacionamento estável e vida longa (12/06/1999).

De fato, em termos de prazer, só dois são proibidos: fumo e drogas pesadas como cocaína e ecstasy – não foi feita nenhuma menção à maconha. Em relação aos prazeres da alimentação, tudo pode, desde que com moderação, como reafirma uma notícia de 30/01/2005: "Sorvete cremoso, batata frita, bacon, ovos, manteiga, salame – alimentos como esses, sempre apontados como vilões de uma vida saudável, já podem ser consumidos sem culpa mesmo por aqueles que lutam para reduzir os níveis de gordura no sangue. Basta moderação e saber fazer conta". A bebida é igualmente aprovada. Além do efeito benéfico do vinho tinto, reiterado por ao menos uma reportagem em mais da metade dos anos estudados, algumas notícias falam que o consumo moderado do álcool faz bem à saúde.

Tão relevante quanto a ausência de restrições em relação aos prazeres sexuais e a admissão dos prazeres moderados da comida e da bebida é o modo de ordenar o corpo, não a se restringir, mas a fazer algo – no caso, a prática dos exercícios físicos. Se o indivíduo está incerto sobre o valor de se abster, a abstinência não deve ser radical e o sacrifício deve proporcionar um prazer para além da satisfação reflexiva – e ressentida – própria a toda moral fundada na verdade. Os indivíduos que a seguem sentem-se superiores, de um lado, por serem capazes de controlar os impulsos de seus corpos, enquanto outros não o seriam; de outro lado, imaginam-se superiores por saberem o que é o verdadeiro e por orientarem a sua conduta a partir desse saber. Assim, as notícias apresentam os exercícios físicos como uma quase-panacéia, com poder de cura fascinante: "Exercício físico regular, 3 ou 4 vezes por semana, reduz em 70% o risco de mortes por todas as causas, incluindo doenças cardíacas e câncer" (27/21/1998). Diante da incerteza, o melhor é ampliar o valor da recompensa. Mesmo assim, o exercício deve ser moderado, talvez prazeroso, ao menos propiciando uma sensação de bem-estar – em outras palavras, a estratégia é diminuir o custo da ascese. Ao longo dos anos, diversas reportagens alertaram contra exercícios fortes e afiançaram o valor de mudanças moderadas no cotidiano: caminhada, jardinagem, subir escadas, etc. Mas exercitar-se não é apenas um meio de evitar sofrimentos futuros; por ser forma de construir uma bela aparência, o cuidado em prevenir a doença se alia ao sonho com um futuro repleto de prazeres sensuais.

Em suma, o sacrifício implícito em ser um "paciente antes do tempo" – modificar o estilo de vida e se cuidar apesar de não estar sofrendo no presente – só é aceito se não for demasiado e se a recompensa for o prolongamento da vida e da juventude e a renovação do prazer e do consumo. Toda pessoa, se moderada, tem direito a muitos prazeres por muito tempo.

## E todavia morremos

O conceito de fator de risco, por sua aliança estreita com os meios de comunicação, tornou possível uma medicalização da vida cotidiana sem precedentes. As pesquisas médicas sobre como se alimentar, beber e se exercitar vêm transformando as práticas de vida de muitos indivíduos na sociedade contemporânea. Contudo, como a análise das notícias sobre doenças do coração mostrou, essa medicalização não significa a formação de uma moral ascética, no sentido consagrado do termo. Com raras exceções, todo prazer, sexual ou não, é admitido. De fato, basta que tudo seja feito com moderação – os prazeres e seu controle – para que o indivíduo consiga imaginar-se como sabendo cuidar de si e sonhar com uma vida longa e prazerosa.

Talvez essa medicalização da vida cotidiana esteja provocando novas formas de distinções sociais, calcadas nas imagens positivas e negativas do cuidado de si. Aqueles cujo estilo de vida abriga fatores de risco tendem a ser desvalorizados, já que a predisposição maior a adoecer resultaria de suas escolhas. Por outro lado, nunca se arriscar é também não aproveitar a vida. A imagem do bom indivíduo se desenha nessa oscilação.

Mais perigosamente, a medicalização pode estar também reduzindo a potência de inquietação e disrupção trazida pela proximidade da morte necessária. Ao colocá-la cotidianamente na distância do "evitável", a aliança entre mídia e medicina permite a economia da questão do que pode ser, para cada um de nós, nossas vidas.

Voltemos ao cuidado de si crônico. Se sua duração é definida pelo tempo em que se permanece acreditando que é possível adiar a morte, assim como a separação anterior entre saúde e doença, ele também tem um limite: é o momento em que o indivíduo se sente ou é declarado como terminal, quando as esperanças de ainda não morrer são perdidas de vez. Uma prática de alguns pacientes com Aids em estado terminal, comum até meados da década de 1990 nos Estados Unidos, nos recorda do potencial de disrupção da morte próxima. Esses pacientes vendiam seus seguros de vida para indivíduos que especulavam com o tempo de vida que lhes restava, sendo o lucro tanto maior quanto menos tempo os doentes vivessem. O espantoso nessa prática não está nem no desinteresse dos doentes em deixar herança para seus próximos, nem no desejo dos especuladores de que os doentes morressem rapidamente; está, sim, na contundente reafirmação de que se perdemos a esperança de ainda evitar a morte, sentimos radicalmente a urgência de viver a vida. Muitos desses pacientes usavam o dinheiro para continuar a comprar remédios; alguns, porém, deviam usá-lo para estabelecer uma outra relação com suas vidas no pouco tempo que lhes restava. E todos nós sabemos que não podemos não morrer.

## Referências bibliográficas

ARONOWITZ, Robert A. *Making sense of illness:* science, society, and disease. Cambridge: Cambridge University Press, 1998.

EVANS, Alfred S. *Causation and disease*: a chronological journey. New York: Plenum Medical Book Co., 1993.

FAGOT-LARGEAULT, Anne. *Les causes de la mort, histoire naturelle et facteurs de risque*. Paris: J. Vrin, 1989.

VAZ, Paulo; CAVALCANTI Mariana; SÁ-CARVALHO, Carolina. Vítima virtual e medo do crime. *Trajectos - Revista de Comunicação, Cultura e Educação*, vol. 7, pp. 95-106, 2005.

VAZ, Paulo; SÁ-CARVALHO, Carolina; POMBO, Mariana. Risco e sofrimento evitável: a imagem da polícia no noticiário do crime. *E-compós - Revista da Associação Nacional dos Programas de Pós-Graduação em Comunicação*, vol 4. pp. 1-22, 2005.

# Formas e normas da *adolescência* e da *juventude* na mídia[1]

*João Freire Filho*[2]

> Os jovens corporalizam as nossas mais profundas vulnerabilidades e as nossas forças mais íntimas. Eles nos remetem ao nosso passado e ao nosso futuro. Podemos imaginá-los como transgressores licenciosos, substitutos de nós mesmos, ou como profetas da salvação; como violadores ou precursores do sistema.
>
> Patricia Meyer Spacks: *The adolescent idea: myths of youth and the adult imagination* (1981)

A despeito de sua aparente obviedade e solidez epistemológica, *adolescência* e *juventude* são conceitos complexos e historicamente instáveis, definidos e representados dentro de diferentes formações

---

[1] Este artigo apresenta reflexões de uma pesquisa em andamento financiada pela Fujb/UFRJ e pelo CNPq.

[2] Jornalista, doutor em Literatura Brasileira pela Pontifícia Universidade Católica do Rio de Janeiro e professor-adjunto da Escola de Comunicação da Universidade Federal do Rio de Janeiro, onde integra o Nepcom (Núcleo de Estudos e Projetos em Comunicação) e coordena a Linha de Mídia e Mediações Socioculturais do Programa de Pós-graduação. Editor da *E-compós* (Revista da Associação Nacional dos Programas de Pós-graduação em Comunicação).

discursivas que circulam, colidem e articulam-se num determinado tempo e espaço. As artes, as indústrias da moda e da beleza, os conglomerados midiáticos globalizados, as ciências humanas e sociais – entre outros discursos emergentes ou legitimados – produzem *conhecimentos*, *verdades* sobre o que constitui a "essência" e as "potencialidades", os "prazeres" e os "dilemas" dos adolescentes e dos jovens, como devemos interpretá-los e interpelá-los, no interior de configurações historicamente determinadas de saber, poder e subjetivação.[3]

[3] Não existe consenso quanto às diferenças e aos nexos entre as noções de *adolescência* e *juventude*. Nas esferas acadêmica e comercial, os dois termos são empregados, amiúde, de forma intercambiável, sem maiores preocupações com a distinção conceitual; certos textos, entretanto, procuram sublinhar, por razões de ordem metodológica e/ou política, as particularidades dos dois marcos etários. De acordo com o esquema sintético de Frith (2005), a noção de *adolescência* é mais usada por autores especialmente interessados em salientar as alterações psicológicas associadas ao período da vida humana que sucede à infância; *juventude* seria um conceito mais flexível, cujos significados são mais responsivos à mudança social e mais sensíveis ao argumento político. De maneira análoga, Virgínia de Freitas (2006) observa que os psicólogos no Brasil convencionalmente lançam mão do termo *dolescência* quando desejam se reportar às transformações emocionais e comportamentais vivenciadas pelos indivíduos com a chegada da puberdade; sociólogos, demógrafos e historiadores, por sua vez, costumam optar pelo vocábulo *juventude* ao tratar de temas como as condições e possibilidades de participação dos jovens na conservação e na modificação da sociedade, a inclusão ou exclusão social dos diferentes subgrupos juvenis e a postulação do jovem como sujeito de direitos. Uma das tendências dentro dos debates sobre políticas públicas em nosso país é definir *adolescência* e *juventude* como dois momentos do período amplamente denominado *juventude* – a *adolescência* corresponderia, no caso, à primeira fase (que vai dos 12 aos 18 anos incompletos, segundo a faixa etária estabelecida pelo Estatuto da Criança e do Adolescente); a *juventude* (também qualificada de *juventude propriamente dita* ou *pós-adolescência*) remeteria a uma etapa posterior, de construção de trajetórias de entrada na vida social (que se estenderia até os 24 anos de idade, consoante o critério firmado pelas Nações Unidas e pelo IBGE) (a respeito da "psicologização da adolescência" e da "sociologização da juventude", consultar, também, Abramo, 1997, 2005, 2006; Sposito, 2003; Dávila León, 2004; Besley, 2006).

O surgimento cada vez mais acelerado de novas classificações etárias (encampadas ou formuladas pelos meios de comunicação) expressa, de forma eloqüente, as instabilidades no pensamento sobre estas etapas estabelecidas como "naturais" (ainda que social e psicologicamente tumultuadas) de transição da infância para a maturidade, mesmo quando as nomenclaturas recém-lançadas no mercado ("pré-adolescente", "*tween*", "pós-adolescente", "*twixter*", "*kidult*", "*adultescente*", "*grup*") são apresentadas como refinamentos ou avanços na compreensão do tema.

Nos inúmeros relatos factuais e ficcionais do mundo adulto, a *adolescência* e a *juventude* figuram como importantes constructos discursivos, capazes de condensar e dinamizar expectativas e temores largamente difundidos acerca de mudanças na economia, nos hábitos e nos costumes, na moralidade e na sexualidade, na produção e no consumo cultural e nas relações sociais ("Você Precisa Da Nova Geração Para Entender A Cultura", pontificou, a propósito, a propaganda do Folhateen, suplemento juvenil semanal da *Folha de S. Paulo*, em junho de 2005).

As diferentes (e até mesmo incompatíveis) versões da *adolescência* e da *juventude* formuladas no âmbito do Estado, do mercado, dos movimentos sociais e da ciência ajudam a moldar, remodelar e justificar sistemas de disciplina, práticas pedagógicas, rotinas familiares, programas e políticas que almejam regular as disposições, os comportamentos públicos e privados e as subjetividades ("provisórias", "parciais", "desejantes") de moças e rapazes, assegurando sua adequada inserção na sociedade, como trabalhadores, chefes de família, donas-de-casa, cidadãos, consumidores, cidadãos-consumidores...

Na atualidade, a incessante produção de conhecimento intelectualmente embasado e a consolidação de novas especializações científicas como a hebiatria (ramo da pediatria cujo foco central é a prevenção e o tratamento de problemas físicos e emocionais "típicos dos adolescentes", como a obesidade, a anorexia, a vigorexia, a bulimia, a hiperatividade, a depressão, as tendências autodestrutivas, o alcoolismo, a toxicomania...) prometem tornar a *adolescência* e a *juventude* – em toda a sua diversidade e complexidade – apreensíveis e governáveis de modos cada vez mais refinados.

Na primeira parte deste artigo, examino, sob uma perspectiva genealógica, como as idéias ainda hoje preponderantes acerca da *adolescência* se tornaram possíveis e foram desenvolvidas, codificadas e disseminadas na virada do século XX, no âmago de candentes debates sobre questões fundamentais para a estabilidade e o progresso dos Estados-Nação. Meu relato histórico problematiza a visão dominante de que a *adolescência* constitui um fenômeno natural da espécie humana – um evento de origem biológica relativamente ignorado ou negligenciado durante a maior parte de nossa estada na Terra, mas que, no ambiente fremente do *fin de siècle*, foi "descoberto" pelos novos saberes científicos, passando a ser gerenciado em vários programas educacionais, legais e médicos. Preocupo-me, particularmente, em enfatizar as interconexões entre a constituição da figura do *adolescente* através de uma rede de práticas discursivas e não-discursivas e as diligências para a formação governamental de um determinado tipo de *self*, num contexto em que as ciências sociais e a psicologia ajudavam a tornar as qualidades interiores, pessoais dos indivíduos visíveis e significativas para a construção de uma nova sociedade moderna.

Ao longo desta breve revisão da produção seminal de *verdades* a respeito da *adolescência* (fomentada no bojo de diversos centros de expertise) e da operacionalização de projetos reguladores lastreados pelos conhecimentos peritos, o leitor decerto perceberá a ressonância da problematização foucaultiana do *poder* e do *sujeito*, desenvolvida nas influentes teorizações do pensador francês sobre o governo como "conduta da conduta" – uma maneira perspicaz de compreender as contínuas, calculadas e contingentes tentativas de administração, ajustamento e incitação de ações, pensamentos, comportamentos e disposições das populações através de vários domínios, em diversos níveis de prática.

Após este exercício histórico e teoricamente informado de *desnaturalização* e *desconstrução* do conceito de *adolescência* (em que saliento a fragilidade e a eventualidade daquilo que se afigura como consistente, necessário, inevitável), passo a abordar certos desafios metodológicos que envolvem a análise da construção discursiva da *adolescência* e da *juventude* na mídia e suas possíveis implicações no governo deste segmento populacional.[4] Na conclusão do artigo, reflito sobre minhas próprias incursões neste campo de investigação pouco explorado pelos pesquisadores da área de comunicação social no Brasil.

## Cartografias de uma terra selvagem

Embora a *adolescência* tenha sido social e culturalmente demarcada antes do início da modernidade (Levi e Schmidt, 1996a; Taddei, 2001; Eisenbichler, 2002), a linha entre a juventude e a maturidade se tornou mais refinada, vigiada e democraticamente aplicada na virada do século XX, dentro das nações industrializadas ocidentais (Demos e Demos, 1969; Bakan, 1971; Gillis, 1974; Kett, 1977; Dyhouse, 1981; Demos, 1986; Springhall, 1986; Hendrick, 1990; Alaimo, 1992; Mitterauer, 1992; Neubauer, 1992; Barrán, 1996; Levi e Schmidt, 1996b; Huerre, 1997; Ruchat, 2000; Thiercé, 2000). Mudanças políticas e sociais configuraram novas prerrogativas e encargos para os jovens e para os adultos incumbidos de monitorar o seu processo de formação identitária e posicionamento social. Como parte da marcha rumo a uma nova sociedade moderna, acreditava-se que os cidadãos precisavam se tornar mais autodeterminados, individualizados e razoáveis. A *adolescência* se constituiu, então, num espaço social em que os adultos responsáveis confabulavam a propósito das características das pessoas na modernidade, preocupavam-se com os desdobramentos destas mudan-

[4] Devido à já aludida imprecisão e instabilidade dos conceitos de *adolescência* e *juventude* e sua corriqueira sobreposição nos discursos científicos e comunicacionais, resolvi enfocar indistintamente, ao delimitar o universo de minha pesquisa, os discursos da mídia sobre os sujeitos sociais definidos, de modo oscilante, como *adolescentes* ou *jovens*, enfatizando as especificidades na utilização das duas categorias, sempre que for oportuno.

ças sociais e estabeleciam políticas e programas que contribuiriam para criar a ordem social e a cidadania modernas. Tratava-se, nos termos de Lesko (2001: 6), de um "espaço social conveniente e promíscuo" – ou seja, "um lugar acerca do qual as pessoas podiam se preocupar infinitamente, um espaço que adultos de toda parte podiam observar cuidadosamente e que podia ser imaginado como tendo muitas instabilidades visíveis e invisíveis".

Sob a égide de doutrinas positivistas e evolucionistas, biólogos, psicólogos, antropólogos criminais, profissionais de saúde, criminologistas, filantropos, trabalhadores sociais, legisladores e juízes delinearam a imagem da *adolescência* como um "problema", investindo sobre as mentes e os corpos pubescentes uma teia de análises, teorias, exames, exortações e injunções. Os mistérios e os caprichos deste intrigante intervalo etário mobilizaram a atenção loquaz não apenas dos "profissionais da juventude" (Gutton, 1986), mas também de romancistas e pintores do *fin de siècle* (Neubauer, 1992).

Como explicar tamanha explosão de elucubrações e representações sobre o "caráter" e a "fisiologia singular" do adolescente? Na realidade, pode-se dizer que a *adolescência* se convertera, naquela conjuntura finissecular, num "problema público" oportuno, cuja discussão incorporava outras preocupações comuns da época, como o progresso racial, o domínio masculino e a unidade e o poderio crescente das nações.

Em países economicamente avançados da Europa e nos Estados Unidos, a *adolescência* despontou como um *fato social* produzido por um conjunto de práticas materiais e educacionais que operavam tanto como uma tecnologia para regular a vida de rapazes e moças quanto para reforçar as normas sociais dominantes, num período de grande transição e incertezas. Uma gama de movimentos sociais e mecanismos institucionais (como o controle da sexualidade; a ampliação da educação compulsória, com a separação da grade curricular de alunos e alunas; o incentivo ao aprendizado de etiqueta, alta cultura e prendas do lar para as garotas; a organização de associações oficiais e voluntárias de lazer destinadas ao fortalecimento moral e corporal dos garotos;

a edificação de cortes judiciais, reformatórios e prisões especialmente designadas para os jovens infratores) contribuiu para sacramentar a concepção da *adolescência* como uma fase qualitativamente distinta do desenvolvimento humano, situada entre a puberdade (uma ocorrência biológica concreta) e as idades especificadas por lei para a escolarização obrigatória, a entrada (sem restrições) no mercado de trabalho e o tratamento punitivo (sem atenuantes) da justiça criminal.

A "tecnologia da adolescência" (Lesko, 2001, 2002) servia não somente para instruir os adolescentes a *como se comportar*, mas também para adestrá-los *em quem se tornar* – adultos devidamente escolados para participar, de forma genericamente propícia, na intricada vida social e econômica moderna. Os dispositivos institucionais e as estratégias discursivas que ambicionavam a formação governamental do "adolescente ideal" (sadio, higiênico, autodisciplinado, leal, disposto a aprender, desejoso de "fazer a coisa certa") acarretaram a instauração do seu *doppelgänger*, do seu duplo negativo – os "precoces", os "rebeldes", os "ociosos", os "delinqüentes", os "sexualmente desregrados", estigmas dos perigos latentes intrínsecos à adolescência e ao cotidiano das grandes cidades (Kett, 1997; Gillis, 1981; Perrot, 2001; Kalifa, 2002).

Numa atmosfera de obsessão pelas idéias cognatas do progresso e da decadência civilizacional (mensurados pelos novos conhecimentos científicos a respeito do desenvolvimento dos indivíduos e das sociedades), a *adolescência* se estabeleceu como lócus privilegiado para conjecturas, especulações e debates públicos acerca do futuro da raça e da nação. Nenhuma autoridade ou homem de idéias da época ousou negligenciar o tema: lideranças intelectuais e políticas, artistas e representantes das novas profissões científicas se interrogaram a respeito das práticas pedagógicas e dos procedimentos de gestão capazes de estimular certas aptidões e atributos (inteligência, educabilidade, estabilidade emocional) nos jovens e instilar nestes *protocidadãos* o desejo por uma ordem nacional e internacional apropriada, cuja defesa e perpetuação seria, ao fim e ao cabo, de sua responsabilidade.

Com uma extensão de tirar o fôlego, o subtítulo do seminal estudo efetuado pelo psicólogo norte-americano G. Stanley Hall, *Adolescence: its psychology and its relation to physiology, anthropology, sociology, sex, crime, religion and education* ([1904] 1981), não deixa dúvidas quanto à constituição da adolescência como um "artefato de governamentalidade", construído e operacionalizado na intersecção de uma variedade de disciplinas que definem o jovem como problema, vinculado principalmente ao trabalho social e ao reforço da lei. Ao longo das 1.373 páginas dos dois volumes da pesquisa, Hall retoma reflexões e argumentos formulados em diferentes proposições filosóficas, fontes literárias e enunciados científicos; sua abordagem holística dos temas centrais da adolescência contempla uma estonteante *mélange* de tópicos: as mudanças biológicas da puberdade e sua caracterização pré-científica na Grécia antiga; o desenvolvimento cerebral; os ritmos do sono; a saúde física; as transições sociais; as influências genéticas; o papel das mulheres como educadoras; os programas missionários religiosos, o aspecto poético do ato sexual... etc.[5]

O alentado tratado de Hall sistematizou e notabilizou a conceituação da adolescência como uma etapa natural (ainda que social e psicologicamente tumultuada) de transição da infância para a maturidade, caracterizada por conspícuas transformações corporais e alterações de humor, pelo reconhecimento da sexualidade, pela busca de valores e iden-

[5] Com o firme propósito de sedimentar a perspectiva interdisciplinar na investigação sobre a adolescência, Hall ambicionou instituir, entre 1909 e 1910, uma "sociedade das sociedades", capaz de congregar *scholars* e profissionais cujos saberes poderiam ser arregimentados em benefício das crianças e dos jovens. Nos dois encontros promovidos pelo autoproclamado "pai da adolescência", estiveram presentes higienistas, arquitetos, pedagogos, especialistas em delinqüência juvenil e lingüística infantil, além de reformadores sociais de notável ascendência política, como a senhora Theodore Roosevelt (Youniss, 2005: 360; a respeito da importância da obra de Hall, o primeiro estudioso a receber o título de Ph.D. em psicologia nos Estados Unidos, com mais de 350 trabalhos publicados, consultar também Grinder e Strickland, 1968; Dahl e Hariri, 2005; Shanahan *et al.*, 2005).

tidades coerentes, por tensões geracionais e pela formação de novas relações sociais. A maturidade representa – dentro desta visão linear da idade e do desenvolvimento cognitivo, emocional e social – a resolução (no tempo e na seqüência apropriada) de questões fundamentais para a formação da personalidade, a solidificação de valores e a conquista da independência social e financeira. Trata-se, presumidamente, de um estado fixo e não problemático – uma condição de equilíbrio e completude, isenta de conflitos.

Enquadrados num sistema estrutural etário que os mantêm numa condição liminar, de falta ou ausência (sempre "um vir a ser"), na encruzilhada entre natureza e cultura, os jovens são confrontados com o padrão do "adulto normal" idealizado em diferentes correntes filosóficas do Iluminismo (do sujeito ético kantiano ao *homo economicus* da tradição utilitarista-liberal). Seu contraponto estrutural, portanto, é nada menos que o *herói burguês* estável, soberano, autônomo, seguro de si, empreendedor, capaz de definir suas próprias necessidades e de procurar satisfazê-las racionalmente, em contraste com a emotividade, a inconstância, a vulnerabilidade, a indolência e a irracionalidade de criaturas primitivas como os animais, os selvagens e as mulheres...[6]

Ao esmiuçar as conexões entre o discurso científico sobre a adolescência e o discurso colonialista, Lesko (2001) salienta, com acuidade, que as conceituações do *jovem* e do *colonizado* cristalizadas no fim-de-século escamoteiam contextos e constrangimentos institucionais e políticos, preferindo enfatizar alegadas deficiências ou má adaptações psicológicas como justificativa para a subordinação e a dependência. Não só os argumentos científicos que deram sustentação às expansões

---

6 Inspirado pelas teses evolucionistas do darwinismo biológico e social, Hall argumentara, a propósito, que "a adolescência não é apenas um tempo excitante e estressante de rápida mudança: ela representa a transição filética da animalidade pré-consciente para a humanidade consciente" (18). Nos capítulos devotados à natureza e à educação das adolescentes, o perito acrescentou que as meninas jamais conseguiam ultrapassar, de fato, a adolescência, o que configurava o "seu charme, sua eterna feminilidade" (75).

colonialistas eram igualmente apropriados para a construção do conhecimento científico sobre a *adolescência* – mecanismos institucionais similares foram mobilizados tanto para os jovens quanto para os nativos (diretrizes sexuais, educacionais, religiosas e governamentais desenvolvidas para "proteger" e "educar").

As páginas introdutórias de *L' adolescence* ([1943] 1965), do psicólogo francês Maurice Debesse, ratificam a pertinência da analogia acima. Na abertura desta obra de grande influência internacional (inclusive no Brasil), Debesse afirma que G. Stanley Hall – calçado com "as botas do explorador" – nos legara pistas cartográficas preciosas para futuras expedições ao obscuro, ao elusivo continente da *adolescência*:

> "O trabalho não está terminado. Ao debruçarmo-nos sobre uma carta da adolescência, percebemo-nos como diante das cartas da África dos meados do século passado, percebemonos da existência de vazios significativos. Além disso, nem todas as cartas concordam exatamente... Quer isto dizer que, ao lado das lacunas inevitáveis, há sem dúvida erros. Talvez novos trabalhos tragam sérias retificações. Desconfiemos, também aqui, das miragens, das falsas montanhas e dos rios misteriosos, como o Niger dos geógrafos do século XVIII" (Debesse [1943] 1965: 19).

A descrição dos estágios do desenvolvimento humano formulada por Hall e seus epígonos mundo afora ajudou a sedimentar a concepção transhistórica e transcultural da *adolescência*, vinculada à noção de "crises necessárias", turbulências psicológicas e sociais inerentes à condição etária. Após examinar 2.084 artigos publicados, entre 1985 e 1995, em seis expressivas revistas científicas especializadas no desenvolvimento humano (*Adolescence*, *Child Development*, *Developmental Psychology*, *Journal of Adolescence*, *Journal of Early Adolescence*, *Journal of Youth and Adolescence*), Ayman-Nolley e Taira (2000) concluíram que a pesquisa psicológica revela uma patente obsessão pelo "lado sombrio da adolescência", descrita (sem o apoio ou a motivação de maiores evidências empíricas ou ponderações teóricas) como uma fase da vida em que prevalecem, de uma forma ou de outra, a sensualidade, o excesso, a desordem, os comportamentos de risco (o tom dos artigos se torna ainda mais aziago quando o foco são os adolescentes negros e hispânicos). No campo da psicologia do desenvolvimento, as atribulações da adolescência, como a irrupção da rebeldia e da sexualidade, costumam ser associadas ao influxo brutal dos hormônios; os sociólogos, por sua vez, tendem a ressaltar as incertezas relacionadas com mudanças sociais, como a entrada no mercado de trabalho ou a independência dos pais (Griffin, 1993).[7]

Apesar das obstinadas tentativas de demarcação categórica da *adolescência* e da *juventude* em termos de peculiaridades (ou fragilidades) fisiológicas, psíquicas, sociais, não há consenso sobre o período de duração, os atributos e a significação destes estágios supostamente universais e evidentes da vida humana. Para grande parte dos jovens do planeta, a concepção clássica da *juventude* como um interregno entre a meninice, de um lado, e a entrada no mundo do trabalho, do outro, é totalmente inadequada – afinal, segundo documento da Organização Mundial do Trabalho divulgado em 1986, 50 milhões de crianças com menos de 15 anos tinham, naquele momento, vida laboral ativa (98% delas residentes em países em desenvolvimento) (Wyn e White, 1997: 10). Mesmo a biologia humana e a idade da puberdade se alteram ao longo do tempo e de acordo com o sexo, a classe social e o *habitat*

---

[7] Conforme indica César (1998: 28-29), a problematização da *adolescência* ingressou relativamente tarde na órbita das preocupações científicas no Brasil, despontando em traduções de textos europeus e norte-americanos, no final dos anos 1920, e fortalecendo-se, a partir da década de 1950, com a produção nativa de manuais psicopedagógicos, bem como com a tradução massiva de obras estrangeiras. Além de incorporar a concepção da *adolescência* como "crise", atrelada às imagens de sexualidade e delinqüência, a produção brasileira seguiu à risca a estrutura da literatura científica importada: a mesma organização dos capítulos e forma de abordagem dos temas, dando ênfase invariavelmente à normalização da conduta física, psíquica, social e sexual.

geográfico; muitos dos traços psicológicos comumente atribuídos à adolescência ("tempo de crise"; "período de tempestades e transtornos"; "idade ingrata") são culturalmente específicos e apresentam-se de forma bastante diferenciada dentro das populações rurais e urbanas de uma mesma sociedade. A saída de ou a entrada em determinadas instituições, como a família e o matrimônio, constituem marcos igualmente problemáticos de emancipação – além da notável diversidade de faixas etárias em que os indivíduos contraem núpcias, o casamento, em algumas culturas, não envolve necessariamente a diminuição da autoridade patriarcal (Mitterauer 1992: 2-11).

## A trama dos estereótipos

Os conceitos psicológicos e sociológicos preponderantes em relação à posição do jovem na sociedade retiram a possibilidade de este segmento da população representar a si mesmo nas instituições do mundo adulto, em função de sua inerente incompetência social e/ou cognitiva. Desencorajada (ou impedida) de produzir e circular amplamente representações alternativas e menos previsíveis de suas "identidades" e seus "melhores interesses", a *juventude* é constituída pelos discursos políticos, acadêmicos, midiáticos e corporativos como *questão de Estado* ou *ideal de mercado* – foco de espetáculos, temores e desejos para audiências massivas, compostas não só de jovens mas também de adultos. Em regra, tais caracterizações ocorrem sob o impacto de duas imagens altamente estereotipadas da condição juvenil, manipuladas, *repaginadas* e enunciadas em diferentes instâncias e contextos:

- **A *juventude como problema*:** indivíduos *em perigo* ou *perigosos* (para si mesmos, para seus familiares, para os cidadãos de bem, para a sociedade) que necessitam da análise, do controle, da proteção e da supervisão particularmente atenta e constante das instituições de poder. As discussões sobre a *sociedade de risco* incrementadas desde o final do século passado reativaram, em grande parte, as *verdades históricas* e os *pânicos morais* a respeito do jovem como delinqüente, desviante ou desfavorecido. Construção de diversas formas de conhecimento perito, a narrativa do *jovem em situação de risco* comporta, todavia, uma novidade histórica: é capaz de englobar, em tese, todo procedimento, prática e grupo de pessoas jovens. O estresse e as tensões psicológicas, fisiológicas e sociais supostamente experimentadas durante a adolescência reforçam a concepção corrente de que o espectro do risco ronda os jovens em geral (obesidade, anorexia, bulimia, vigorexia, depressão, fracasso ou evasão escolar, tendências autodestrutivas, criminalidade,suicídio,alcoolismo, toxicomania, doenças sexualmente transmissíveis, gravidez indesejada...). Ancorado em declaradas preocupações humanísticas e econômicas, o discurso da *juventude em situação de risco* assegura que nada, na esfera dos comportamentos e das disposições juvenis, permaneça fora da intervenção governamental (Kelly, 1999, 2000, 2001; Tait, 2000).

. **A *juventude como diversão*:** os "caçadores de emoção", os "consumados consumistas" associados a entretenimentos excitantes, sadios e politicamente inócuos, prazeres descomprometidos, estilos de vida exóticos, fulgurantes (propagados pelos publicitários, com freqüência, como signos de "modernidade", "criatividade", "vitalidade" disponíveis para todas as faixas etárias) ou, no limite, a formas mercadorizadas de rebeldia bem-comportada, ultrajes de grife, bem-vindas sacudidelas na mentalidade e nos comportamentos enrijecidos das velhas gerações.

De um lado, as gangues, os vândalos, os pichadores, os drogados das ruas e das raves, os funkeiros do arrastão, os *teledependentes* (e seus irmãos caçulas, os *cyberdependentes*), os apáticos, os hiperativos, os libidinosos, as mães adolescentes, os jovens perpetradores ou alvo de violência, antagonistas voluntários da ordem estabelecida ou vítimas do modelo econômico (do sistema escolar, da globalização, da pós-modernidade e/ou da má influência da mídia); do outro, os *estilosos*, relaxados, radiantes e ordeiros consumidores de distintas nacionalidades que, numa célebre propaganda da Coca-Cola dos anos 1970, almejavam ensinar o mundo a cantar em perfeita harmonia...

São palpáveis e prósperos, na atualidade, os investimentos de todo o aparato da cultura da mídia e do consumo na configuração de interpretações e perfis específicos da *adolescência* e da *juventude* – como índice de normas ou patologias sociais, como ícones das bem-aventuranças ou mazelas do capitalismo globalizado... Anúncios, filmes, desenhos animados, canções, videoclipes, romances, seriados, *sitcoms*, noticiários e programas de auditório da TV, publicações especializadas, reportagens e suplementos *teen* dos jornais de circulação nacional, matérias e edições especiais das grandes revistas de informação – entre outras produções e artefatos midiáticos (e suas inúmeras mercadorias derivadas) – alegam representar ("narrar", "dramatizar", "encenar", "documentar", "reportar", "flagrar") as necessidades e as aspirações, os gostos e as atitudes, os direitos e os deveres, os modos de sentir e pensar dos jovens.

Sob a inspiração dos problemáticos rótulos geracionais, os "retratos da juventude" construídos nos espaços midiáticos (não raro, com o auxílio de pesquisas patrocinadas pelo mercado e/ou por universidades) tendem a homogeneizar gostos, experiências, problemas e expectativas de um grupo variado e desigual de pessoas da mesma faixa etária, negligenciando a diversidade de circunstâncias individuais e estratificações sociais que permeiam a vida das populações jovens.[8] Atitudes, estilos, comportamentos e atividades de determinados segmentos ou grupos em uma situação social concreta (por exemplo, a prática de esportes radicais, as visitas assíduas aos shopping centers ou a estreita familiaridade com as novas tecnologias da comunicação) se tornam um dado estatístico e, eventualmente, um apanágio da juventude em geral.

Quando registradas por estes *scripts* unidimensionais da *adolescência* e da *juventude*, as diferenças são filtradas e administradas como

[8] Como observa Lesko (2001: 4), o senso comum e o discurso científico costumam encarar os adolescentes como sendo menos individualizados do que os adultos, mais fortemente orientados pelas idéias e influências do seu grupo de pares. Antes de esta característica ser atribuída aos jovens, os psicólogos vitorianos haviam afiançado que mulheres, primitivos e crianças são mais semelhantes, mais genéricos, mais uniformes do que os homens (brancos, europeus) adultos.

índices de moda, tendência e estilo, em consonância com a taxonomia adotada por profissionais da publicidade interessados em definir segmentos de mercado de uma maneira mais requintada do que aquela oferecida por levantamentos demográficos, verificando como a ligação (ainda que efêmera) com certos "estilos de vida" ou "tribos urbanas" influencia tanto os padrões de consumo quanto o processamento de diferentes formas de ação de marketing.

Diante da popularidade mercadológica e das implicações políticas destes empreendimentos midiáticos, é surpreendente a escassez de estudos acadêmicos que abordem, dentro do campo da comunicação social no Brasil, as representações e os discursos (imagens, descrições, explanações, quadros de entendimento) sob a influência crescente dos quais adolescentes e adultos constroem os significados e a experiência da *juventude* na contemporaneidade – *como ela é, por que ela é desta maneira* e *quais as suas conseqüências (os seus benefícios e riscos, vícios e virtudes) do ponto de vista individual e social.*[9]

---

[9] Num levantamento preliminar de textos de pesquisadores da área de comunicação social centralizados na representação midiática da *adolescência* ou da *juventude*, foram encontrados apenas os artigos de Borges (2005) e Gumes (2005), as dissertações de mestrado de Gobbi (1999), Borges (2003), Cury (2003), Quaresma da Cunha (2003), Remonte (2003) e Gumes (2004) e a tese de doutorado de Iwancow (2003). Outros trabalhos que gravitam em torno desta temática foram produzidos no âmbito da antropologia, educação, história, psicologia e sociologia (Teodoro da Silva, 1995; Alvim e Paim, 2000; Benevutto, 2000; Machado, 2000; Paim, 2002; Lima, 2004; Menandro, 2004; Nazareth, 2004; Fischer, 1996, 2005).

Na obtenção destes dados, contei com a colaboração da bolsista de iniciação científica Ana Carolina Bento Ribeiro e da orientanda de mestrado Fernanda Marques Fernandes. Fontes consultadas: SciELO Brasil Site (http://www.scielo.br/); Banco de Teses da Capes (http://www.capes.gov.br/capes/portal/Teses_Dissertacoes.htm); revistas *Comunicação e Educação* (set. 1994 / dez. 2005); *Comunicação e Sociedade* (jul. 1979 / set. 2004); *Contemporanea* (dez. 2003 / dez. 2005); *ECO-PÓS* (jul. 2002 / jul. 2005); *E-Compós* (dez. 2004 / abr. 2006); *Famecos* (set. 1994 / dez. 2005); *Fronteiras* (jan. 2004 / dez. 2005); *Revista Brasileira de Ciências da Comunicação* (2000 / jun. 2006).

Ao abordar este tema raramente investigado, é necessário cautela para evitar certas armadilhas teóricas e metodológicas tão comuns nos estudos de representação das minorias (Freire Filho, 2005a). Os trabalhos pioneiros sobre a estereotipagem de raça e gênero na mídia, por exemplo, foram bastante prejudicados pelo uso – sem maiores problematizações – da análise de conteúdo como ferramenta metodológica. Limitadas, em geral, a levantamentos amplos, objetivos e sistemáticos, as abordagens deste tipo se concentram em definir categorias de análises e estabelecer a freqüência, os papéis e outras características da representação dos grupos oprimidos.

Um estudo efetivo sobre as representações da *adolescência* e *juventude* na mídia não deve restringir-se ao mero levantamento estático de figurações estereotipadas, sem maior embasamento histórico e teórico; é fundamental se interrogar sobre a genealogia destas imagens social e politicamente motivadas, em que redes discursivas se inserem, por que perduram e, finalmente, como vêm sendo (ou devem ser) criticadas.

Não é o caso, evidentemente, de propor a aferição e o questionamento da acurácia referencial dos relatos midiáticos do fenômeno da *adolescência*, com a finalidade de *resgatar* a "autêntica natureza" ou os "verdadeiros ideais" dos jovens, presumidamente evadidos, distorcidos nos meios de comunicação de massa. Ou, como diria Foucault (1997a), não se trata de tentar reconstituir o que o referente *juventude* poderia ser em sua forma ou seu estado fundamental e discernir como ele foi organizado ("traduzido, deformado, travestido, talvez até mesmo reprimido") por discursos e pelo jogo oblíquo, enredado em suas operações, a fim de desvelar e libertar da "tirania do texto" estas experiências "pré-discursivas". A despeito de todas as suas boas intenções, tal abordagem acaba incidindo no erro de reproduzir a perspectiva essencialista criticada nos parágrafos anteriores.

Em vez de pretender elaborar respostas cabais, de dimensão ontológica, para as perguntas correlatas "O que é a adolescência?" ou "O que significa ser jovem?", o esforço analítico deve se deslocar para um outro rol de questões fundamentais inter-relacionadas: como os discursos midiáticos operam na definição de determinados modos de ser adolescente ou jovem no Brasil do novo milênio? Articulados com que investimentos e preocupações sociais? Que aptidões e condutas das novas gerações são valorizadas? Quais são apontadas como problemáticas? Com base em que verdades e autoridades? Que ambivalências, tensões e contradições são possíveis detectar no interior destas representações midiáticas? Meu intuito, na verdade, é tentar explicar como emergem na mídia retratos particulares das novas gerações (em vez de outras versões possíveis) e a sua relação com discursos e práticas materiais engendradas em diferentes esferas institucionais.

## Considerações finais: decifrando o poder do banal

Fiel ao protocolo analítico alinhavado acima, examinei, em trabalhos anteriores (Freire Filho, 2005b, 2006), a construção discursiva das "adolescentes da nova geração" na mais longeva e comercialmente bem-sucedida de nossas revistas femininas juvenis: a *Capricho*. Embora a leitura de revista seja, por natureza, uma atividade solitária, *Capricho* e similares objetivam congregar as adolescentes em torno da participação em uma *comunidade imaginária*, propiciando-lhes identificações, apoio psicológico e sentimento de pertencimento. Suas matérias e seus anúncios geram a sensação reconfortante de que todas as jovens compartilham dos mesmos problemas e expectativas. O impacto da mídia é sempre mais visível e passível de reprovação quando o público parece adotar avidamente atitudes e modismos preconizados pelos textos comerciais. O poder das revistas femininas juvenis se torna muito mais penetrante, conduto, quando elas atuam no sentido de definir a natureza, as agruras e o vigor da adolescência feminina (sua genuína *realidade*, enfim), por meio de processos discursivos que priorizam questões, categorizam experiências e *reembalam* valores e modos de ser hegemônicos de maneira relevante para suas leitoras. Editoriais, artigos, reportagens, entrevistas, depoimentos, testes, dicas, concursos e propagandas fixam, num tom prazenteiro, as fronteiras do sucesso e do fracasso, do normal e do patológico, do consumismo sadio e da oneomania, da magreza modelar e da anorexia, da liberdade sexual e da libertinagem temerária.

Tais construções identitárias estão fortemente ligadas, por sua vez, a discursos produzidos em outras esferas da sociedade. Conforme assinala Macdonald (2003), os meios de comunicação de massa devem ser conceituados, no máximo, como "motivadores parciais de idéias e valores" ("partial originators of ideas and values") (p. 2). As demandas da audiência, dos anunciantes, dos contadores, dos profissionais de marketing, publicidade e promoção, entre outros grupos de pressão, concorrem para que a criatividade dos profissionais da mídia resida mais em manejar discursos preexistentes e rivais do que em inventá-los pura e simplesmente.

As representações da *adolescência* e *juventude* na mídia se fundamentam em e são reguladas por discursos que, de fato, circulam, colidem e inter-relacionam-se em diversos contextos e instâncias. Em sua tese de doutorado, Chaves (2005) identificou seis formações discursivas nas quais se apóiam as representações sociais da juventude na Argentina urbana contemporânea: o *discurso naturalista*; o *discurso psicologista*; o *discurso da patologia social*; o *discurso do pânico moral*; o *discurso culturalista*; o *discurso sociologista.* Não há o que se objetar quanto à validade geral da listagem fornecida pela autora; em estudos de caso mais específicos, porém, não se pode ignorar a presença de outros discursos igualmente influentes. Sendo assim, na fase inicial de minha própria pesquisa, procurei esmiuçar as conexões entre as representações de garotas autênticas e superpoderosas nas páginas da *Capricho* (animadas pela retórica pretensamente *emancipatória* e *empoderadora* do "seja diferente, seja você") e os discursos cognatos do pós-feminismo e do consumismo (Freire Filho, 2005b).

Atualmente, venho refletindo, de forma mais meticulosa, sobre a relação entre a versão específica de "liberdade" propagada pela revista e novas formas de controle social. Com o auxílio de autores que trabalham com a *teoria da governamentalidade* (Burchell *et al.*, 1991; Barry *et al.,* 1996; Rose, 1998, 1999, 2005; Tait, 2000; Bratich *et al.,* 2003;

Dean, 2004), tenciono demonstrar como as publicações endereçadas às adolescentes formam um elo efetivo entre imperativos governamentais que têm por objetivo a construção de sujeitos condizentes com valores e propósitos do neoliberalismo (entendido, aqui, menos como uma filosofia de governo e democracia baseada na redefinição do Estado e na defesa do livre-mercado do que como uma racionalidade governamental para um arranjo social que se apóia em novos tipos de cidadãos-consumidores e novas técnicas para governá-los em termos de sua liberdade, autonomia e escolha) e as práticas concretas por meio dos quais estes imperativos são operacionalizados.

Estes imperativos governamentais que visam à condução da conduta das adolescentes não se realizam pelo poder de um decreto-lei, de forma ostensivamente repressiva. As estratégias discursivas empregadas para recrutar as adolescentes para os programas de auto-reforma são deveras sutis. De acordo com o discurso da *Capricho*, as jovens leitoras podem e devem definir que tipo de vida querem levar, necessitando, para isso, assumir uma atitude auto-reflexiva e de automonitoramento no tocante à sua identidade, à sua aparência, ao seu estilo de vida. Tal perspectiva se evidencia nas atitudes apregoadas em relação ao corpo, no fomento de uma *cultura somática* em que os corpos malhados e amimalhados aparecem como contingentes – projetos individuais inacabados que requerem constante cuidado, renovação e preocupação, sobretudo autodisciplina e prevenção do risco. As jovens são encorajadas a embarcar neste escrutínio sistemático e incessante de todos os aspectos de si mesmas (suas medidas corporais, seu corte de cabelo, sua maquiagem, seu vestuário, seus hábitos, suas opiniões, suas escolhas, suas fantasias...) pela promessa de tornarem-se, ao mesmo tempo, emocional e sexualmente saudáveis; pessoalmente únicas, autênticas e socialmente normais, ajustadas; populares entre os colegas ("uma celebridade na sua turma") e atraentes para os garotos ("sexy sem ser vulgar").

Não se pode, é claro, presumir e proclamar que todas as jovens se comportarão necessariamente de acordo com as prescrições e proscrições formuladas, de maneira explícita ou tácita, pela mídia impressa especializada. A consistência do detalhamento de identidades e práticas de autoformação não implica coerência na resposta das leitoras, que podem utilizar, alterar, satirizar, adaptar, adotar parcial ou esporadicamente ou ignorar inteiramente modelos identitários e tecnologias de si divulgadas pelas revistas. Este rol de possibilidades não significa, como argumenta Tait (2000), que tais manuais de autoformação sejam malsucedidos, mas, sim, que a relação entre o seu conteúdo e desdobramentos práticos específicos é complexa e contextual.

## Referências bibliográficas

ABRAMO, Helena Wendel. Considerações sobre a tematização social da juventude no Brasil. *Revista Brasileira de Educação*, nº 5-6, pp. 25-36, 1997.

________. A condição juvenil no Brasil contemporâneo. *In*: ABRAMO, Helena Wendel; BRANCO, Pedro Paulo Martoni (orgs.). *Retratos da juventude brasileira*: análises de uma pesquisa nacional, pp. 37-72. São Paulo: Editora Fundação Perseu Abramo/Instituto Cidadania, 2005.

________. O uso das noções de adolescência e juventude no contexto brasileiro. Disponível em http://www.acaoeducativa.org.br/downloads/caderno_JUV_final.pdf. Acessado em março de 2006.

ALAIMO, Kathleen. Shaping adolescence in the popular milieu: social policy, reformers and French youth, 1870-1920. *Journal of Family History*, vol. 17, nº 4, pp. 419-438, 1992.

ALVIM, Rosilene; GOUVEIA, Patrícia. Os jovens suburbanos e a mídia: conceitos e preconceitos. *In*: ALVIM, Rosilene; GOUVEIA, Patrícia (orgs.). *Juventude anos 90*: conceitos, imagens, contextos, pp. 13-34. Rio de Janeiro: Contra Capa, 2000.

AYMAN-NOLLEY, Saba e TAIRA, Lora L.. Obsession with the dark side of adolescence: a decade of psychological studies. *Journal of Youth Studies*, vol. 3, nº 1, pp. 35-48, 2000.

BAKAN, David. Adolescence in America: from idea to social fact. *Daedalus*, vol. 100, pp. 979-995, 1971.

BARRÁN, José Pedro. El adolescente, ¿una creación de la modernidad? *In*: BARRÁN, José Pedro *et al.* (eds.), *Historias de la vida privada en el Uruguay*. El nacimiento de la intimidad (1870-1920), tomo 2, pp. 175-199. Montevideo: Taurus, 1996.

BARRY, Andrew *et al.* (eds.). *Foucault and political reason*: liberalism, neo-liberalism, and rationalities of government. Chicago: University of Chicago Press, 1996.

BENEVUTO, Mônica Aparecida. Mitos e imagens nos modos de expressão de jovens rurais. *In*: ALVIM, Rosilene; GOUVEIA, Patrícia (orgs.). *Juventude anos 90*: conceitos, imagens, contextos, pp. 133-157. Rio de Janeiro: Contra Capa, 2000.

BESLEY, Tina. *Counseling youth*: Foucault, power and the ethics of subjectivity. Rotterdam: Sense Publishers, 2006.

BORGES, Luís Fernando Rabello. O processo inicial de formulação de produtos de mídia impressa brasileira voltados ao público jovem – um estudo de caso da revista *Pop*. Dissertação de Mestrado. Universidade do Vale do Rio dos Sinos, Ciências da Comunicação, 2003.

________. Revista *Pop* e suas páginas coloridas: consumo e estética. *ECO-PÓS*, vol. 8, nº 1, pp. 86-99, 2005.

BRATICH, Jack Z. *et al.* (eds.). *Foucault, cultural studies and governmentality*. Albany: State University of New York Press, 2003.

BURCHELL, Graham *et al.* (eds.). *The Foucault effect*: studies in governmentality. Chicago: Chicago University Press, 1991.

CÉSAR, Maria Rita de Assis. A invenção da "adolescência" no discurso psicopedagógico. Dissertação de Mestrado. Universidade Estadual de Campinas, Faculdade de Educação, 1998.

CHAVES, Mariana. Juventud negada y negativizada: representaciones y formaciones discursivas vigentes en la Argentina contemporánea. *Ultima Década*, nº 23, pp. 9-32, 2005.

CURY, Lilian. O sentido de juventude em jornais diários: leitura de textos jornalísticos de cadernos de notícias locais de jornais diários paulistas. Dissertação de Mestrado. Universidade de São Paulo, Departamento de Ciências da Comunicação, 2003.

DAHL, Ronald E.; HARIRI, Ahmad R. Lessons from G. Stanley Hall: connecting new research in biological sciences to the study of adolescent development. *Journal of Research on Adolescence*, vol. 15, nº 4, pp. 367-382, 2005.

DÁVILA LEÓN, Oscar. Adolescencia y juventud: de las nociones a los abordajes. *Última Década*, vol. 12, nº 21, pp.83-104, 2004.

DEAN, Mitchell. *Governmentality*: power and rule in modern society. London: Sage, 2004.

DEBESSE, Maurice. *A adolescência*. Lisboa: Europa-América, 1965 [1943].

DEMOS, John. *Past, present and personal*: the family and the life course in American history. New York: Oxford University Press, 1986.

DEMOS, John; DEMOS, Virginia. Adolescence in historical perspective. *Journal of Marriage and the Family*, vol. 31, pp. 632-638, 1969.

DYHOUSE, Carol. *Girls growing up in late Victorian and Edwardian England*. London: Routledge & Kegan Paul, 1981.

EISENBICHLER, Konrad (ed.). *The premodern teenager*: youth in society 1150-1650. Toronto: Centre for Reformation and Renaissance Studies, 2002.

FISCHER, Rosa Maria Bueno. Adolescência em discurso: mídia e produção de subjetividade. Doutorado. Universidade Federal do Rio Grande do Sul, Educação, 1996.

________. Mídia e juventude: experiências do público e do privado na cultura. *Cadernos CEDES*, vol. 25, nº 65, pp.43-58, 2005.

FOUCAULT, Michel. *Power/ knowledge* – select interviews and other writings 1972-1977. New York: Pantheon Books, 1980.

________. *História da sexualidade I*: a vontade de saber. Rio de Janeiro: Graal, 1984.

________. *História da sexualidade II*: O uso dos prazeres. Rio de Janeiro: Graal, 1985.

________. *História da sexualidade III*: o cuidado de si. Rio de Janeiro: Graal, 1988a.

________. Technologies of the self. *In*: MARTIN, Luther *et al* (eds.). *Technologies of the self*. A seminar with Michel Foucault. Massachusetts: The University of Massachusetts Press, 1988b.

________. O sujeito e o poder. *In*: DREYFUS, Hubert; RABINOW, Paul (orgs.). *Michel Foucault, uma trajetória filosófica*: para além do estruturalismo e da hermenêutica, pp. 231-249. Rio de Janeiro: Forense Universitária, 1995.

________. *A arqueologia do saber*. Rio de Janeiro: Forense Universitária, 1997a.

________. *Resumo de cursos do Collège de France (1970-1982)*. Rio de Janeiro: Zahar, 1997b.

________. *A ordem do discurso*. São Paulo: Loyola, 1999.

________. *Microfísica do poder*. Rio de Janeiro: Edições Graal, 2001.

________. *Estratégia, poder-saber*. Ditos e escritos: vol. 4. Rio de Janeiro: Forense Universitária, 2003.

________. *Ética, sexualidade, política*. Ditos e escritos: vol. 5. Rio de Janeiro: Forense Universitária, 2004.

________. *Michel Foucault*. Entrevistas a Roger Pol-Droit. São Paulo: Graal, 2006.

FREIRE FILHO, João. Mídia, consumo cultural e estilo de vida na pós-modernidade. *ECO-PÓS*, vol. 6, n° 1, pp. 72-97, 2003b.

________. Força de expressão: construção, consumo e contestação das representações midiáticas das minorias. *Famecos*, nº 27, pp. 18-29, 2005a.

________. Paradoxos da autenticidade: gênero, estilo de vida e consumismo nas revistas femininas juvenis. *In*: FREIRE FILHO, João; HERSCHMANN, Micael (orgs.). *Comunicação, cultura e consumo*: a (des)construção do espetáculo contemporâneo, pp. 119-134. Rio de Janeiro: E-papers, 2005b.

________. Em cartaz, as garotas superpoderosas: a construção discursiva da adolescência feminina na revista *Capricho*. *Fronteiras*, vol. 8, nº 1, 2006.

FRITH, Simon. Youth. *In*: BENNET, Tony *et al.* (eds.). *New keywords*: a revised vocabulary of culture and society, pp. 380-382. Oxford: Blackwell, 2005.

GILLIS, John R. *Youth and history: tradition and change in European age relations, 1770-present*. New York: Academic Press, 1974.

GOBBI, Maria Cristina. Na trilha juvenil da mídia impressa – identificação, perfil e análise dos suplementos para jovens veiculados nos jornais diários do Brasil. Dissertação de Mestrado. Universidade Metodista de São Paulo, Comunicação Social, 1999.

GRIFFIN, Christine. *Representations of youth*: the study of youth and adolescence in Britain and America. Oxford: Polity Press, 1993.

GRINDER, R. E.; STRICKLAND, Ch. E.. A significação social da obra de G. S. Hall. *In*: BRITTO, Sulamita de (org.). *Sociologia da juventude I:* da Europa de Marx à América Latina de hoje, pp. 19-35. Rio de Janeiro: Zahar, 1968.

GUMES, Nadja Vladi Cardoso. RG: Jovem. Identidades, culturas juvenis, meios de comunicação e estilos de vida: uma análise do Caderno Folhateen, da Folha de S. Paulo. Dissertação de Mestrado. Universidade Federal da Bahia, Programa de Pós-Graduação em Comunicação e Cultura Contemporânea, 2004.

________. Representações de juventudes urbanas no *Folhateen* – suplemento do jornal Folha de S. Paulo. *ECO-PÓS*, vol. 8, nº 1, pp. 100-117, 2005.

GUTTON, Phillipe. Le processus d'adolescence et ses catégories. *In*: PROUST, François (ed.). *Les jeunes et les autres.* Contribution des sciences de l'homme à la question des jeunes, vol. 1, pp. 70-79. Vaucresson: CRIV, 1986.

HALL, G Stanley. *Adolescence*: its psychology and its relation to physiology, anthropology, sociology, sex, crime, religion and education. Norwood: Telegraph Books, 1981 [1904].

HEBDIGE, Dick. *Hiding in the light*: on images and things. London: Routledge, 2002.

HENDRICK, Harry. *Images of youth*: age, class, and the male youth problem, 1880-1920. Oxford: Clarendon Press, 1990.

HUERRE, Patrice. *L'Adolescence n'existe pas*. Histoire des tribulations d'un artífice. Paris: Jacob, 1997.

IWANCOW, Ana Elisabeth. O comportamento jovem e o shopping center – um objeto para a publicidade. Tese de Doutorado. Universidade do Vale do Rio dos Sinos, Ciências da Comunicação, 2003.

KALIFA, Dominique. Archéologie de l'apachisme. Les représentations des peaux-rouges dans la France du XIXe siècle. *Le temps de l'histoire,* nº 4, 2002. Disponível em http://rhei.revues.org/document51.html. Acessado em maio de 2006.

KELLY, Peter. Wild and tame zones: regulating the transitions of youth at risk. *Journal of Youth Studies*, vol. 2, nº 2, pp. 193-211, 1999.

________. The dangerousness of youth-at-risk: the possibilities of surveillance and intervention in uncertain times. *Journal of Adolescence*, vol. 23, pp. 463-476, 2000.

________. Youth at risk: process of individualization and responsabilisation in the risk society. *Discourse: Studies in Cultural Politics of Education*, vol. 22, nº 1, pp. 23-33, 2001.

KETT, Joseph F. *Rites of passage*: adolescence in America 1790 to the present. New York: Basic Books, 1977.

LESKO, Nancy. *Act your age!*: a cultural construction of adolescence. New York: Routledge, 2001.

________. Making adolescence at the turn of the century: discourse and the exclusion of girls. *Contemporary Issues in Comparative Education*, vol. 2, nº 2, pp. 182-191, 2002.

LEVI, Giovanni; SCHMITT, Jean-Claude (eds.). *A history of young people in the West*. vol. 1: ancient and medieval rites of passage. Cambridge, MA: Harvard University Press, 1997a.

________. *A history of young people in the West*. vol. 2: stormy evolution to modern times. Cambridge, MA: Harvard University Press, 1997b.

LIMA, André Luiz. A juventude no texto literário e na indústria cultural. Dissertação de Mestrado. Pontifícia Universidade Católica do Rio de Janeiro, Educação, 2004.

MACHADO, Elielma Ayres. Retratos da juventude: imagens de juventude e violência no Rio de Janeiro. *In*: ALVIM, Rosilene; GOUVEIA, Patrícia (orgs.). *Juventude anos 90*: conceitos, imagens, contextos, pp. 35-58. Rio de Janeiro: Contra Capa, 2000.

MACDONALD, Myra. *Exploring media discourse*. London: Arnold, 2003.

MENANDRO, Maria Cristina Smith. Gente jovem reunida: um estudo de representações sociais da adolescência / juventude a partir de textos jornalísticos (1968/1974 e 1996/2002). Tese de Doutorado. Universidade Federal do Espírito Santo, Psicologia, 2004.

MITTERAUER, Michael. *A history of youth*: family, sexuality and social relations in past times. Oxford: Oxford University Press, 1992.

NAZARETH, Leila. O discurso da mídia sobre a adolescente grávida: uma análise de ideologia. Dissertação de Mestrado. Pontifícia Universidade Católica de São Paulo, Psicologia, 2004.

NEUBAUER, John. *The fin de siècle culture of adolescence*. New Haven: Yale University Press, 1992.

PAIM, Eugênia. *Forever young* – a apropriação da imagem da juventude pela propaganda brasileira. *Comunicações do Iser*, ano 21, pp. 57-61, 2002.

PERROT, Michelle. Dans le Paris de la Belle Époque, les «apaches », premières bandes de jeunes. In: *Les ombres de l'histoire*. Crime et châtiment au XIXe siècle, pp. 351-364. Paris: Flammarion, 2001.

QUARESMA DA CUNHA, Simone Maria. O jovem imaginado – a configuração de um grupo de pertencimento pela produção das revistas impressas dirigidas ao público juvenil, a partir de um estudo de caso da Revista MTV. Dissertação de Mestrado. Universidade do Vale do Rio dos Sinos, Ciências da Comunicação, 2003.

REMONTE, Jarbas Gomes. A linguagem corporal do adolescente no contexto da cultura midiática. Dissertação de Mestrado. Universidade Paulista, Comunicação, 2003.

ROSE, Nikolas. *Inventing our selves*: psychology, power and personhood. Cambridge: Cambridge University Press, 1998.

________. *Governing the soul*: the shaping of the private self. London: Free Association Books, 1999.

________. *Powers of freedom*: reframing political thought. Cambridge: Cambridge University Press, 2005.

RUCHAT, Martine. Désordre, passion, adolescence: histoire d'un concept. In: BAZILASCHE, Juvénal Balegamire; MARC, Pierre (eds). *Adolescence*: des clefs pour comprendre, pp. 31-49. Lyon: Chronique sociale, 2000.

SANTOS, Rafael José dos. A publicidade e a representação da juventude – um estudo sobre os mecanismos da produção publicitária. Dissertação de Mestrado. Universidade Estadual de Campinas, Antropologia Social, 1992.

SPOSITO, Marilia. *Os jovens no Brasil: desigualdades multiplicadas e novas demandas políticas*. São Paulo: Ação Educativa, 2003.

SPRINGHALL, John. *Coming of age*: adolescence in Britain, 1860-1960. Dublin: Gill and Macmillan, 1986.

SHANAHAN, Michael J. et al. One hundred years of knowing: the changing science of adolescence, 1904 and 2004. *Journal of Research on Adolescence*, vol. 15, n° 4, pp. 383-394, 2005.

TADDEI, Ilaria. *Fanciulli e giovani*. Crescere a Firenze nel Rinascimento. Firenze: Olschki, 2001.

TAIT, Gordon. *Youth, sex, and government*. New York: Peter Lang, 2000.

TEODORO DA SILVA, Ana Cristina. "Teen", um personagem contemporâneo. Representação juvenil na imprensa. Dissertação de Mestrado. Universidade Estadual Paulista Júlio Mesquita Filho/Assis, História, 1995.

THIERCÉ, Agnès. *Histoire de l'adolescence (1850-1914)*. Paris: Belin, 2000.

WYN, Johanna Win e WHITE, Rob. *Rethinking youth*. London: Sage, 1997.

YOUNISS, James. G. Stanley Hall: neither psychology alone nor basic research is sufficient. *Journal of Research on Adolescence*, vol. 15, n° 4, pp. 357-366, 2005.

# A militância jovem em cena outra vez: o movimento anti-CPE na França e os discursos da imprensa brasileira

*Ana Julia Cury de Brito Cabral* [1]

O movimento antiglobalização tem chamado insistentemente a atenção para um grupo social que parecia ter ficado esquecido nos utópicos anos 1960: a juventude. Desde a manifestação de Seattle de 1999, liderada por rostos nitidamente jovens e rebeldes, os movimentos sociais de juventude voltaram a aparecer de forma constante nos diversos cenários mundiais da luta contra a globalização neoliberal. E, conseqüentemente, voltaram a protagonizar reportagens e fotos em diversos meios de comunicação ao redor do mundo.

Um dos momentos de maior impacto desse retorno dos jovens à militância parece ter sido os últimos acontecimentos de março deste ano de 2006 na França. Os jovens universitários franceses foram às ruas pedir o cancelamento do CPE[2] – Contrato do Primeiro Emprego –

---

[1] Mestranda do Programa de Pós-graduação em Comunicação e Cultura da UFRJ.

[2] O CPE (*Contrat du Première Embauchement*) permitiria aos empregadores demitir os jovens de até 26 anos sem justa causa durante os dois primeiros anos de trabalho. O CPE foi uma "resposta" do governo francês à rebelião da juventude de descendência imigrante, conhecida como revolta das *banlieues*, que incendiou milhares de automóveis em outubro e novembro do ano passado em protesto contra o desemprego e as miseráveis condições de vida.

que, caso fosse implementado, significaria mais um passo rumo ao processo de precarização das relações trabalhistas. Montaram barricadas e houve enfrentamentos diretos com a polícia.

O desfecho da luta foi a vitória dos jovens, que, apoiados por grande parte dos sindicatos e por 70% da população, conseguiram uma greve dos transportes, dos bancos e das escolas, o que exigiu uma atitude do governo francês. O presidente Jacques Chirac e seu primeiro-ministro, Dominique de Villepin, voltaram atrás e desistiram do CPE – não sem antes tentar uma negociação dos termos do contrato que não foi aceita pelo movimento.

Essa reação dos jovens universitários pode ser compreendida como uma espécie de extensão de outros acontecimentos que assustaram a França nos meses de outubro e novembro do ano passado. Naquele período, jovens descendentes de imigrantes das periferias de grandes cidades francesas, e depois da província, protagonizaram uma série de ataques e rebeliões, depredando bens de propriedade de civis e do governo. Incendiaram carros, destruíram prédios e saquearam lojas. Essa revolta aparentemente inusitada refletia uma situação de degradação social profunda: o desemprego entre os jovens descendentes de imigrantes atingia naquele momento – e não deve ter mudado muito em apenas alguns meses – o índice de 40% na França.

As revoltas das periferias francesas rapidamente se espalharam e atingiram a Bélgica e a Alemanha, onde ações semelhantes, promovidas por descendentes de imigrantes vivendo na marginalidade, assustaram a população civil e as autoridades. Os governos e a mídia, em sua grande parte, responderam com o mesmo discurso: tratava-se de uma questão de diferenças culturais que poderia ser resolvida com pequenos ajustes que facilitassem a inserção daqueles jovens em seus novos ambientes socioculturais. Com raras exceções, não se tratou a questão como um problema de ordem social, isto é, de uma sociedade capitalista neoliberal que não consegue, nem mesmo nos países do mundo desenvolvido, absorver a mão-de-obra disponível (Aguiton, 2002).

Contudo, os movimentos de março deste ano na França vieram mostrar, de certo modo, que a questão da precarização do trabalho e suas conseqüências não se restringem aos descendentes de imigrantes ou às periferias. Elas atingem também, de modo inevitável, os filhos das classes médias, que foram às ruas lutar pelos direitos adquiridos ao longo de anos de luta dos trabalhadores em todo o mundo, e conseguidos durante o período em que, tendo em vista a oposição socialista, o Estado de Bem-estar Social se firmou como modelo político – e econômico – predominante em grande parte do mundo capitalista ocidental.

Por ser ainda bastante recente, esse acontecimento traz obstáculos a uma tentativa de análise histórica ou sociocultural mais profunda. No entanto, uma breve observação das reportagens publicadas na mídia impressa e na Internet permite desenvolver alguns apontamentos sobre as representações dos jovens nos meios de comunicação, forçados cada vez mais a formular uma resposta rápida – e quase sempre superficial – aos acontecimentos do mundo.

Um dos aspectos que atraem a atenção do leitor logo de início é a comparação que quase a totalidade das matérias fez entre o movimento anti-CPE e as agitações de Maio de 1968 na França. Em certo sentido, uma comparação quase inevitável, pois o cenário e os protagonistas, com a diferença de umas duas gerações, eram os mesmos. Mas, ao mesmo tempo, uma comparação irônica, diante do fato de que nas duas últimas décadas o discurso midiático, reforçando um determinado senso comum sobre os jovens, apresentava-os como uma categoria social conformada e conformista, cujos sonhos e desejos se resumiriam às vitrines dos *shopping centers*. Um discurso, vale dizer, em consonância com a "lógica cultural" de uma época (Jameson, 1997; Klein, 2002; Maciel, 2001).

Essa comparação é sintomática também da presença ainda incômoda dos eventos de Maio de 1968 no inconsciente coletivo e, portanto, midiático. Por mais que tenha sido desprezado e considerado ultrapassado, o Maio de 1968 segue provocando reações e suas imagens ressurgem em um momento importante do cenário de lutas sociais contemporâneo.

Com base nestas observações iniciais, pretendo desenvolver neste artigo um breve estudo das representações do movimento anti-CPE na imprensa brasileira e, assim, esclarecer um pouco os significados deste evento e do papel dos jovens como figuras centrais no contexto do reaquecimento dos movimentos sociais nos últimos anos. Para isso, será inevitável realizar uma breve recapitulação do Maio de 1968 e de algumas análises sobre aquele movimento.

## Maio de 1968: conceitos e questões

O movimento de Maio de 1968 na França, que se espalhou e teve repercussões ao redor do mundo, foi na época um acontecimento histórico surpreendente e empolgante. Pareceu demonstrar "que era possível fazer uma revolução em um país industrial avançado em condições de paz, prosperidade e aparente estabilidade política" (Hobsbawn 1982: 235). O fenômeno escapava às teorias ortodoxas sobre os desdobramentos da luta de classes no sistema capitalista e sobre a necessidade de liderança do proletariado para que se fizesse a revolução.

O que aconteceu nos anos 1960 foi um movimento popular de base, iniciado e liderado pelos estudantes. Essa liderança, segundo Roszak (1968), poderia ser explicada por alguns fatores, dentre eles o aumento da população jovem depois de duas guerras mundiais que haviam produzido uma baixa significativa no contingente de jovens, principalmente na Europa, mas também dos EUA. Além disso, os jovens pareciam "*sentir*, mais do que nunca, a potencialidade de seus números" (Roszak 1968: 38). E esse sentimento tinha uma explicação: "Não resta dúvida de que em grande parte isto se deve ao fato de a máquina publicitária de nossa sociedade de consumo haver dedicado muita atenção ao cultivo da consciência etária, tanto dos velhos como dos jovens" (p. 39).

Além disso, aquela geração de estudantes era beneficiária de hábitos educativos "complacentes" do pós-guerra. A sociedade de lazer, com altos níveis de consumo, que se estabelecera depois da 2ª Guerra Mundial, permitira à classe média prolongar a ociosidade e a disponibilidade da infância. A diferença era que, ao contrário de seus pais, aqueles jovens não estavam acostumados a se vender em troca do conforto dos bens materiais. Assim, ao encarar a entrada no mundo adulto, a perspectiva que aquela geração encontrou não lhe foi nem um pouco agradável (*Id. Ibid.*).

Portanto, "em lugar de descobrir o inimigo de classes em suas fábricas, a burguesia enfrenta-o na sala de jantar, nas pessoas de seus próprios filhos mimados" (*Id.Ibid.*: 44). A revolta de uma grande parte dos jovens naquele momento, a sua Grande Recusa do mundo adulto, seria fruto da percepção do horror do mundo pessoal e espiritual dos adultos. Da percepção de que

> "as vítimas do Sistema não eram só os pobres da sociedade; a classe média e a rica também eram vítimas porque suas mentes estavam mal-organizadas, malformadas, mal-orientadas etc. – de maneira que a vida neurótica e insatisfatória que as caracterizava tinha também de ser transformada" (Maciel 2001: 38).

Segundo depoimento de Maciel (*Id. Ibid.*: 41), participante ativo da contracultura no Brasil:

> "No contexto da rebelião da minha geração, no espírito de contestação que a caracterizou, o questionamento de nossa vida pessoal foi uma revolução muito importante, porque transferiu a preocupação com o pólo objetivo, com o mundo, que era uma preocupação política típica, para a preocupação com o pólo subjetivo, ou seja, com a consciência das pessoas, com a cabeça das pessoas, com a sua mentalidade, seu espírito. [...] Com a contracultura, a contestação passa para o pólo subjetivo – e, contudo, as conseqüências no pólo objetivo são no mínimo radicais."

Todavia, como indica Hobsbawm (1982), a análise da natureza do movimento de Maio de 1968 não pode derivar somente das palavras dos próprios revolucionários. O esforço para compreender o êxito inicial e o relativamente rápido fracasso final do movimento precisa ser realizado com cautela. Segundo o autor, houve dois estágios principais na mobilização: o primeiro, entre 3 e 11 de maio, foi o da mobilização dos estudantes, diante da qual o governo do general De Gaulle recuou, e da extensão do movimento às províncias e aos operários. O segundo momento, de 14 a 27 de maio, foi o de propagação de uma greve geral espontânea, a maior da história da França e talvez do mundo. Nesse estágio, o governo tentou um acordo com os líderes dos sindicatos, que foi recusado por parte dos grevistas.

Tendo em vista a reação imediata e preocupada do governo, seria possível afirmar que somente essa segunda fase criou de fato possibilidades revolucionárias – ou, de outro modo, "criou para o governo a necessidade de uma ação contra-revolucionária" (Hobsbawm, 1982: 237). A subestimação do movimento estudantil pelas autoridades o transformou num detonador efetivo para a mobilização operária. Nesse contexto, qual poderia ter sido a explicação para a manutenção de De Gaulle no poder e o conseqüente fracasso da mobilização?

Para Hobsbawm (*Ibid.*), o motivo do rápido fracasso do movimento foi a inexistência de objetivos políticos, a falta de um inimigo concreto contra o qual concentrar as forças dos grupos revolucionários. A profundidade da crítica social formulada ou contida implicitamente no movimento popular deixou-o sem objetivos concretos. Seu inimigo era o "sistema". Esse caráter antipolítico ou subpolítico do movimento foi fatal para o seu desmantelamento a curto prazo.

Por outro lado, e mesmo levando-se em consideração sua proximidade temporal com os eventos, Roszak (1968) oferece uma outra interpretação possível para os eventos de Maio. O caráter transpolítico do inimigo – a tecnocracia[3] – e a sua capacidade de se tornar ideologicamente invisível exigiam a postura radical e "introspectiva" dos revolucionários. Pois a tecnocracia não está somente relacionada ao capitalismo; ela obedece às diretrizes de eficiência industrial, de racionalidade e de necessidade do *ethos* científico.

---

[3] A tecnocracia é "a forma social na qual uma sociedade industrial atinge o ápice de sua integração organizacional. É o ideal que geralmente as pessoas têm em mente quando falam de modernização, atualização, racionalização, planejamento" (*Id. Ibid.*: 19).

Assim, a falha dos jovens teria sido enfrentar

> "muito mal a publicidade deturpada com que os meios de comunicação sobrecarregaram suas experiências embrionárias [...] A imprensa decidiu que a rebelião 'vende' bem. [...] O problema é novo e difícil: uma espécie de cínica asfixia da rebeldia através da publicidade contínua, e começa a parecer que para o Sistema esta arma é muito mais eficaz do que a supressão pura e simples" (Roszak, 1968: 47).

Em certa medida, esta observação de Roszak antecipou o que mais tarde seria um consenso entre ex-manifestantes e intelectuais: o sistema foi capaz de absorver a crítica ideológica e transformá-la em publicidade e propaganda para seus produtos e serviços (Klein 2002). As questões relativas ao papel da mulher, à proteção da natureza e do meio ambiente, à liberdade sexual, etc. foram quase todas transformadas ou em *slogans* de campanhas publicitárias ou em estratégias de responsabilidade social das empresas.

No entanto, defender somente a tese de Roszak significa assegurar um poder quase onipotente ao sistema. Não se trata disso, contudo. Para Hobsbawm (1982), a realidade é que, embora usasse uma fraseologia política, o movimento não possuía objetivos políticos. Na verdade, a situação francesa não proporcionava esses objetivos unificadores. E, como ressalva o autor (*Id. Ibid.*: 241):

> "Sem profundos descontentamentos sociais e culturais prontos a emergir ao menor estímulo, não pode haver revolução social importante. Mas sem uma certa concentração sobre objetivos concretos, embora periféricos em relação a seu propósito principal, a força de tais energias revolucionárias se dispersa".

Hoje, com o mesmo apoio dos sindicatos operários, os estudantes vão às ruas de Paris e de outras cidades da França. Mas hoje, diferentemente de 1968, eles possuem um objetivo concreto: opor-se à precarização do trabalho promovida pela economia neoliberal capitalista, que começa agora a atingir os estudantes de classe média que, até recentemente, ainda tinham seus direitos garantidos e pouco ameaçados. Quando a marginalização social se torna uma ameaça inclusive às classes mais favorecidas, o "Sistema" começa a dar sinais de esgotamento que não podem ser ignorados.

Talvez a revolta dos estudantes e dos operários seja muito parecida com aquela de seus semelhantes na década de 1960. Talvez a grande diferença seja que, com o recrudescimento do capitalismo liberal e de suas práticas, tenha se tornado muito fácil encontrar objetivos concretos contra os quais lutar. Ainda que formular uma alternativa ao sistema seja uma tarefa difícil e complexa, os novos movimentos já parecem saber dizer, ao menos, o que é que eles não aceitam e não querem. Afinal, é isso o que vêm demonstrando os movimentos de Seattle a Porto Alegre (Sader, 2005; Seoane, 2001).

## A imprensa brasileira e o movimento anti-CPE

O movimento contra o CPE, que aconteceu durante os meses de março e abril deste ano de 2006 na França, foi assunto de diversas notícias e reportagens na mídia brasileira e mundial. Para delimitar este trabalho, serão utilizados como referências quatro veículos de comunicação brasileiros com filiações ideológicas variadas: a revista *Veja*, o jornal *Folha de S. Paulo*, a revista *Carta Capital* e o sítio alternativo *Centro de Mídia Independente*.

Vale ressaltar que, durante a pesquisa que realizei em busca de reportagens sobre o movimento, encontrei material abundante em grandes portais da Internet no Brasil, como UOL e Terra. As notícias publicadas nesses espaços eram, contudo, quase exclusivamente descritivas e reproduziam informações fornecidas por agências de notícias internacionais, como a *Reuters* e a *France Press*. Não eram úteis, portanto, ao tipo de análise do discurso que é o objetivo deste trabalho.

As matérias publicadas pela revista *Carta Capital*, da qual sou assinante, foram reunidas ao longo do período em que as manifestações ocuparam as ruas das cidades francesas. Consistem em uma reportagem de duas páginas e em duas outras de página inteira. A matéria publicada pela revista *Veja* foi encontrada em um sítio da Internet que a reproduzia com a devida citação da fonte. Não obtive sucesso na busca que realizei no próprio sítio da revista. O sítio do jornal *Folha de S. Paulo*, após a pesquisa pelo mecanismo de busca, disponibilizou três matérias sobre o tema, sendo que apenas uma delas possuía algum tipo de discurso ou representação – as outras eram exclusivamente descritivas. Já a matéria encontrada no *Centro de Mídia Independente* era bastante extensa e trazia um posicionamento bastante explícito.

A revista *Veja* foi a que esboçou a representação mais estereotipada e negativa dos jovens manifestantes. Em tom irônico, a matéria insinua que os jovens franceses são tomados por uma espécie de febre sazonal que os faz ir às ruas praguejar contra o governo e as instituições democráticas do país:

> "A primavera em Paris inspira grandes gestos. Os franceses preferem essa estação, mais que qualquer outra, para la révolution, tradição de grande prestígio no país. A Comuna de Paris, por exemplo, a revolta popular que inspirou Karl Marx a escrever o Manifesto Comunista, durou de março a maio de 1871. Em maio de 1968, os estudantes da Sorbonne ergueram barricadas nas ruas da capital francesa dispostos a mudar o mundo e tiveram bastante sucesso. Nas últimas duas semanas, os estudantes franceses voltaram às ruas, em ruidosas manifestações contra o governo" (OS mimados de março. *Veja*, s/d).

Ao longo da matéria, a revista defende que, embora os franceses queiram ainda manter suas leis trabalhistas dos tempos do *welfare state*, em algum momento eles terão de se render às exigências do novo capitalismo global e neoliberal. Ainda que seja compreensível que os jovens queiram ter o mesmo tipo de garantia de seus pais, a sociedade francesa terá que compreender que, se continuar insistindo na manutenção de uma legislação trabalhista de caráter não-liberal, seu destino será a derrocada no *ranking* mundial dos países mais ricos do mundo. E a responsabilidade pelos altos níveis de desemprego que assolam o país é atribuída exatamente à legislação excessivamente benevolente:

> "O mercado de trabalho francês é um dos mais amarrados que existem. A jornada de trabalho é folgada (35 horas semanais), o salário mínimo é generoso (1.450 dólares, contra 600 na vizinha Espanha), as férias são prolongadas (seis semanas), a aposentadoria é precoce (60 anos). As demissões são raras porque a legislação trabalhista – um calhamaço com 2.500 páginas e 10 quilos – obriga as empresas a pagar indenizações entre doze e 24 meses de salário ao funcionário demitido sem justa causa. O modelo representa um peso enorme para os cofres públicos, reduz a competitividade francesa no mercado global, afasta investidores estrangeiros e inibe a criação de empregos" (OS mimados de março. *Veja*, s/d).

A defesa convicta do programa neoliberal prossegue, e a matéria afirma que o principal problema para o desenvolvimento no caso da França é a psicologia social, e não os argumentos econômicos. Assim, de acordo com *Veja*, a sociedade francesa precisa "superar a crença de que as conquistas sociais realizadas ao longo das décadas fazem parte da identidade nacional" e se adaptar aos novos parâmetros da era pós-moderna.

Por fim, um outro aspecto interessante da matéria é a comparação com o Maio de 1968. A diferença entre os dois movimentos seria o fato de que agora os jovens não estão lutando por mudanças, mas pela manutenção de uma legislação existente. Assim, demonstrariam seu lado conservador e pouco receptivo às mudanças tão necessárias trazidas pelo "novo" liberalismo:

> "Há realmente semelhanças com o que ocorreu em 1968. [...] As diferenças, porém, são maiores. O que inspira os arroubos desta primavera não é o desejo de mudanças. Ao contrário, os estudantes franceses desta vez lutam pelo direito de ter uma

> vida igual à [*sic*] de seus pais. [...] "Os estudantes de 68 lutavam por mais liberdade e mudanças profundas na política, na sociedade e na cultura francesas", disse à VEJA o economista francês Gilles Saint-Paul, da Universidade de Ciências Sociais de Toulouse. "Hoje, as reivindicações são conservadoras. Eles querem manter os direitos que marcaram a vida profissional das gerações anteriores e têm medo de mudanças" (OS mimados de março. *Veja*, s/d).

Interessante notar como a possibilidade da idéia de autonomia e de lucidez dos jovens e de suas escolhas é absolutamente desconsiderada. Assim, sua recusa ao CPE é interpretada como falta de preparo para ingressar num mundo moderno e em constante mudança. Não será provável que os jovens reconheçam essas mudanças, suas origens e seus significados, mas se recusem a apoiá-las e segui-las?

A matéria do jornal *Folha de S. Paulo* se posiciona de modo menos explícito em relação à polêmica, mas ao privilegiar a questão dos conflitos com a polícia não deixa de marcar sua posição ideológica. Nos primeiros três parágrafos da reportagem, as greves e o caos provocado na cidade de Paris são a questão central:

> "Transportes públicos, companhias aéreas, escolas públicas e privadas, correios e veículos da mídia pararam parcialmente. Até parte da indústria de turismo de Paris, a cidade mais visitada do mundo, foi afetada. Atrações como a torre Eiffel e o museu D'Orsay fecharam em razão da greve. Trens e metrôs funcionaram em operação tartaruga, com vagões superlotados e confusão nos horários de pico" (Victor, Folha de S. Paulo, 29 mar. 2006).

Na seqüência, todo o restante da reportagem é dedicado a apontar os atos bárbaros dos vândalos dos subúrbios cujo objetivo teria sido somente provocar o caos nas manifestações. Depois de realizar uma descrição detalhada, em três parágrafos, da bagunça promovida por um grupo de jovens no início da manifestação, a matéria defende que os jovens que atiram pedras e cometem atos de violência são os mesmos que participaram dos ataques nas periferias de Paris no outono de 2005:

> "(...) os "casseurs" (bagunceiros) [...] gritavam ofensas contra o ministro do Interior, Nicolas Sarkozy, que implantou uma política linha-dura de combate à delinqüência nas periferias e no ano passado se referiu aos adolescentes suburbanos que queimaram milhares de carros como "escória". [...] Eram esses mesmos jovens que ontem desafiavam a polícia. A tropa, superequipada, ficava postada em posição de combate e, de repente, corria em pequenas células em direção à turba, onde distribuía pancada e prendia um ou outro. Nos momentos mais agudos, atirava balas de borracha e bombas de gás lacrimogêneo" (*Id. ibid.*).

Finalizando, a matéria cita alguns entrevistados que criticam a postura violenta dos jovens dos subúrbios e que acusam de ilegítimas suas ações e os vêem como baderneiros sem motivos nem objetivos, que acabam atrapalhando a manifestação ao invés de contribuírem para o seu sucesso. E, para terminar, a fala de um entrevistado que, ao contrário da maior parte da população, crê que os franceses precisam se render ao *laissez-faire, laissez-passer*:

> "(...) mais de 70% da população (...) contra o CPE, por avaliar que a lei foi imposta sem discussão e que viola garantias sociais básicas. É uma idéia bem diferente da do aposentado Jacques Cadiot, 66, que não foi ao protesto, mas se queixava dos seus efeitos num café de Paris. "A lei não é o ideal, mas é claro que é muito melhor do que o que temos. Esse país não é mais uma democracia, virou uma ditadura dos sindicatos. A França não admite copiar os outros países, quer ser diferente, e assim está indo para o buraco" (Victor, *Folha de S. Paulo*, 29 mar. 2006).

Em *Carta Capital*, a matéria do dia 29 de março começa com a menção aos protestos de 1968 e às cenas que as manifestações contra o CPE trouxeram novamente à tona: os estudantes franceses em barricadas, jogando mesas nos cafés contra a polícia e o gás lacrimogêneo pairando sobre a Rive Gauche. Para a revista, o mais interessante aspecto dos recentes acontecimentos é que "a França testemunhou um crescimento do movimento de protestos que muitos acreditavam impossível no atual mundo individualista" (Smith, *Carta Capital*: 40). Logo em seguida, a matéria cita as palavras de um estudante de medicina: "O nosso país tem opções (...) As multinacionais francesas tiveram um lucro de 84 bilhões de euros em 2005. É um truque político tentar nos convencer de que precisamos fazer sacrifícios para que essas companhias fiquem ainda mais ricas" (*Id. Ibid.*).

Por outro lado, a matéria chama a atenção para a seqüência de eventos que expressam a insatisfação dos franceses com relação às conseqüências sociais do neoliberalismo: primeiro, a rejeição à Constituição da União Européia no referendo de maio de 2005; depois, a revolta dos subúrbios, em outubro do mesmo ano, contra as miseráveis condições sociais. Agora, em março de 2006, a reação dos jovens universitários, com apoio dos sindicatos, ao processo de flexibilização das leis trabalhistas.

No entanto, afirma a matéria, as diferentes formas de tratamento destinadas aos dois protestos, o dos subúrbios e o dos universitários, apontam uma questão que pode estar além do problema social. Segundo a revista, a diferença é que "os distúrbios entre as comunidades de imigrantes, que duraram seis semanas, terminaram não por uma concessão política, mas pela intervenção brutal das tropas de choque". Ou seja, a França enfrenta, dentro do problema geral do desemprego, a questão social da imigração e de como lidar com os preconceitos e disputas internas resultantes da entrada no país desse contingente de mão-de-obra barata.

Em outra reportagem, publicada por ocasião dos enfrentamentos de outubro de 2005, o professor de Ciências Políticas da Sorbonne, Stéphane Monclaire, afirma à *Carta Capital,* alto e claro, que a França é um país racista e que

> "(...) jamais houve uma política verdadeiramente de integração dessa população de imigrantes e seus descendentes. A crise que estamos atravessando agora é metassocial. "Meta", em grego, quer dizer ao lado. Os grupos hoje incendiando o que encontram pela frente são jovens à margem da sociedade e em vias de exclusão. Vivem nos subúrbios, ao lado das cidades. Cidades onde há riqueza, emprego. Onde há o Estado, com suas funções regulares e de providência. Nos subúrbios, eles estão marginalizados porque nunca os integramos. Os esforços de integração foram tardios, ou demasiadamente parcimoniosos. E, portanto, insuficientes" (Carta, *Carta Capital*, s/d).

De volta ao tema do CPE, uma página de opinião da revista, assinada pelo jornalista Nirlando Beirão, discute o significado do movimento atual em comparação ao Maio de 1968. O jornalista afirma que, apesar da distância considerável entre as reivindicações pelo direito a um trabalho decente e a mobilização utópica que acreditava na possibilidade de juntar imaginação e poder, ainda é possível perceber, ao flagrar estandartes com a imagem de Che Guevara nas ruas, um certo projeto de felicidade coletiva para além do varejo do emprego e do salário.

Por outro lado, Beirão finaliza sua crítica destacando uma outra questão, a da postura dos intelectuais diante da nova movimentação dos jovens franceses, e faz uma provocação aos velhos e desiludidos revolucionários dos anos 1960:

> "Curiosamente, quem tem maior dificuldade de entender o sonho é certa gente que até sonhou no passado. Por exemplo, os dândis parlapatões que se dizem *nouveaux philosophes* (o caricato Bernard-Henry Lévy na linha de frente) que em 68 choraram ao som da Internacional, pretextando a fé em Mao ou Trotsky, e agora, gordos, aburguesados, tripudiam a *répétition générale*, na frieza cínica dos fracassados" (Beirão, *Carta Capital*, 29 mar. 2006: 51).

Na última matéria publicada sobre o tema, em 5 de abril de 2006, *Carta Capital* afirma que, apesar da tentativa do governo de desqualificar os protestos como mera defesa dos privilégios de universitários de classe média, o crescimento e a extensão do movimento a outros grupos sociais evidenciaram a amplitude da rejeição ao CPE. Contudo, aponta a matéria, a fraqueza principal do movimento está na ausência da proposição de uma alternativa global ao modelo capitalista neoliberal. A recusa pura e simples do *status quo* não asseguraria, portanto, uma transformação efetiva da realidade.

Esta crítica é a mais freqüente com relação aos novos movimentos sociais surgidos a partir de metade da década de 1990. A ausência de um projeto global pode ser problemática, mas pode talvez significar um passo adiante na história dos movimentos sociais. As grandes questões do passado não deixam de estar presentes nas discussões, mas a proposta dos vários movimentos sociais de diferentes filiações ideológicas tem sido a de criar um mundo "contendo vários mundos" (Aguiton, 2002; Klein, 2003; Sader, 2005; Seoane, 2001).

Por sua vez, a crítica do sítio *Centro de Mídia Independente* também traz algumas questões à tona. Segundo a matéria publicada no sítio sobre o CPE, a vitória dos estudantes e a revogação do contrato não significariam uma vitória efetiva, pois fariam parte do jogo político eleitoral francês. Assim, o grande vencedor da história seria o ministro do Interior, Nicolas Sarkozy, devido à deterioração da imagem pública do primeiro-ministro, Villepin, seu concorrente na disputa dentro do partido da situação pela sucessão de Jacques Chirac.

A matéria possui um tom de manifesto e, após um longo e detalhado panorama da problemática dos sindicatos e da situação dos partidos políticos franceses hoje, termina em tom de convocatória para a revolução. O posicionamento ideológico do *Centro de Mídia Independente* é explícito e não há nenhuma preocupação em disfarçá-lo.

> "Estas lutas devem fazer parte de uma estratégia mais geral das massas proletárias para varrer a ameaça da direita

> fascistóide, liquidar a segregação racista e a exploração capitalista e conquistar o pleno emprego para toda a classe trabalhadora, o que só é possível através dos próprios métodos da classe como a greve geral política sob o eixo de abaixo o governo Chirac e suas leis escravistas, por um governo operário revolucionário" (França. *Centro de Mídia Independente*, 20 abr. 2006).

Ao assumir a sua filiação ideológica, o *Centro de Mídia Independente* não perde credibilidade, necessariamente. Contudo, tendo em vista o tom de manifesto desta matéria, pode-se dizer que ele corre o risco de se tornar menos interessante para o leitor que busca informação, na medida em que sua análise detalhada da situação é ofuscada pela manifestação apaixonada de suas idéias. Trata-se de uma questão estratégica de discurso com a qual o *Centro de Mídia Independente* não parece estar preocupado. O veículo parece estar mais concentrado na fixação de uma posição política e ideológica com relação ao acontecimento relatado do que propriamente na divulgação de notícias sobre os fatos.

## Considerações finais

A leitura crítica das matérias sobre o movimento contra o CPE teve como objetivo mostrar a variedade de discursos e representações dos jovens manifestantes em parte da imprensa brasileira. Dos meios mais conservadores aos mais alternativos, a variação das interpretações sobre o papel dos jovens na sociedade francesa e, por extensão, no mundo contemporâneo foi significativa. Por outro lado, a existência de matérias sobre o assunto em toda essa gama de veículos (apesar da diferença do número de matérias e do espaço dedicado a cada uma delas em cada veículo) pode ser compreendida como prova da importância de estudar a juventude e suas representações no mundo atual.

Ainda é importante notar que a análise comparativa das mídias estudadas, ainda que breve e relativa a um único tema, proporcionou a possibilidade de enxergar em gradações a filiação ideológica de cada veículo. Assim, a revista *Veja*, por um lado, imprime um tom conservador e até mesmo debochado na matéria que trata do movimento social dos jovens franceses. A *Folha de S. Paulo*, por sua vez, ao privilegiar determinado enfoque e não outro, mostra também, mas de modo mais disfarçado, suas tendências conservadoras.

Por sua vez, a revista *Carta Capital*, ao explicar a crise do CPE como uma extensão de outros problemas enfrentados pela sociedade francesa recentemente, revelou sua intenção de compreender estruturalmente o movimento e de entendê-lo no contexto do mal-estar manifestado por diversos setores da sociedade francesa – e em todo o mundo – com relação à globalização neoliberal. A análise de *Carta Capital* é aquela com a qual mais me identifico, porque creio que ela procura, a partir de uma lógica complexa e dialética, entender os acontecimentos de março de 2006 em suas várias dimensões.

Por fim, a matéria do sítio *Centro de Mídia Independente* baseia-se em uma interpretação do complexo quadro do movimento anti-CPE que se autodefine como de esquerda. Sem dúvida, a preocupação do sítio é fornecer uma visão diferente daquela predominante nas grandes empresas de comunicação brasileiras. Contudo, como foi dito anteriormente, acredito que falta à matéria do *CMI* uma certa maturidade. O texto, que até então era uma aula detalhada sobre os sindicatos e os partidos políticos franceses e suas complexas relações, se transforma em panfleto e manifesto – o que, sem dúvida, destoa da proposta inicial e a obscurece.

Por fim, vale notar que as diferentes representações expressam também uma variedade de posturas políticas e ideológicas acerca do tema dos movimentos sociais juvenis. O jornalismo, exercido principalmente pela classe média, não parece ser acometido de um pensamento único, como muitos querem dizer. Porém, é preciso ressaltar que os veículos que mais circulam são aqueles que, no caso deste artigo, tiveram uma postura mais conservadora em relação ao movimento anti-CPE: a revista *Veja* e o jornal *Folha de S. Paulo* possuem maior número de leitores em comparação com a revista *Carta Capital*, que tem tiragem de 63.500 exemplares. Já o sítio *Centro de Mídia Independente*, por ser uma mídia virtual, possui um número de visitas oscilante. Mas não há dúvidas de que o alcance de suas reportagens é pequeno se comparado à *Veja* ou à *Folha de S. Paulo*.

## Referências bibliográficas


AGUITON, Christophe. *O mundo nos pertence*. São Paulo: Viramundo, 2002.

BEIRÃO, Nirlando. La répétition. *Carta Capital,* Estilo, p. 51. São Paulo, 29 mar. 2006.

CARTA, Gianni. Falta luz, sobra fogo. *Carta Capital,* São Paulo, s/d. Nosso Mundo. Disponível em http://www.cartacapital.com.br/index.php?funcao=exibirMateria&id_materia=3443. Acessado em abril de 2006.

CARTA, Mino. A falta de imaginação no poder. *Carta Capital,* A Semana, p. 21. São Paulo, 5 abr. 2006.

FRANÇA: Retirada do CPE: recuo de Chirac não significa vitória estratégica para a classe operária e a juventude. *Centro de Mídia Independente,* 20 abr. 2006. Disponível em http://www.midiaindependente.org/pt/blue/2006/04/351462.shtml. Acessado em abril de 2006.

GUARNACCIA, Matteo. *PROVOS - Amsterdam e o nascimento da contracultura*. São Paulo: Conrad, 2002.

HOBSBAWM, E.J. *Revolucionários*. Rio de Janeiro: Paz e Terra, 1982.

JAMESON, Fredric. *Pós-modernismo* – a lógica cultural do capitalismo tardio. São Paulo: Ática, 1997.

KLEIN, Naomi. *Sem logo*: a tirania das marcas em um planeta vendido. Rio de Janeiro: Record, 2002.

________. *Cercas e janelas*: na linha de frente do debate sobre globalização. Rio de Janeiro: Record, 2003.

MACIEL, Luiz Carlos. *As quatro estações*. Rio de Janeiro: Record, 2001.

OS mimados de março. *Veja*. São Paulo, s/d. Disponível em http://www.universia.com.br/html/noticia/noticia_clipping_cjjfe.html. Acessado em abril de 2006.

PEREIRA, Carlos Alberto Messeder. *O que é contracultura?*. São Paulo: Brasiliense, 1988.

ROSZAK, Theodore. *A Contracultura* – reflexões sobre a sociedade tecnocrática e a oposição juvenil. Petrópolis, RJ: Vozes, 1968.

SADER, Emir. *Perspectivas*. Coleção Os porquês da desordem mundial. Mestres explicam a globalização. Rio de Janeiro: Record, 2005.

SEOANE, José; TADDEI, Emilio (org.). *Resistências mundiais*: de Seattle a Porto Alegre. Petrópolis: Vozes, 2001.

SMITH, Alex Duval. Resistência Francesa. *Carta Capital,* Nosso Mundo, p. 40. São Paulo, 29 mar. 2006.

VICTOR, Fábio. Protesto atrai ao menos 1 milhão na França. *Folha de S. Paulo,* São Paulo, 29 mar. 2006. Folha Mundo. Disponível em http://www1.folha.uol.com.br/fsp/mundo/ft2903200601.htm. Acessado em abril de 2006.

# Entre as hipérboles *freaks* e as fantasias hegemônicas: representando a subalternidade no audiovisual nordestino

*Angela Prysthon**[1]

> Os estudos do subalterno são sobre o poder, sobre quem o tem e quem não o tem, quem está ganhando o poder e quem o está perdendo. O poder está relacionado com a representação: que representações têm autoridade cognitiva ou asseguram hegemonia, quais as que não têm autoridade e não são hegemônicas.
>
> John Beverley: *Subalternity and representation* (1999)

É importante contextualizar de antemão a origem deste artigo: por um lado, ele forma parte da minha pesquisa atual sobre as representações da cultura urbana no cinema contemporâneo; por outro, ele marca a continuidade e a rearticulação do referencial teórico e de vários con-

* Agradeço aos meus orientandos Luís Reis, Fernando Fontanella e André Carlos Heliodoro o contato com o universo da Trupe do Barulho, das bandas brega pop do Norte-Nordeste brasileiros e do cineasta Simião Martiniano, através de suas dissertações e monografia, respectivamente.

[1] Professora do Programa de Pós-graduação em Comunicação da UFPE.

ceitos com os quais venho trabalhando há alguns anos. A intenção é aprofundar a análise de um conjunto de estratégias e expressões de diferenças culturais, ou modos de negociação dessas diferenças, dentro de um contexto de multiculturalidade que permanentemente redefine e/ou subverte os tradicionais binarismos centro/periferia, modernidade/tradição, global/local, hegemonia/subalternidade. Nesse sentido, convém apresentar melhor o tipo e as bases do argumento que se vai desenvolver aqui. O ponto de partida é o contraste entre a representação *do* subalterno (a partir de alguns trechos de três filmes produzidos sobre e/ou no Nordeste brasileiro – um documentário e dois longas de ficção) e a representação *pelo* subalterno – não necessariamente uma auto-representação, diga-se de passagem – (filmes de Simião Martiniano – camelô e cineasta –, as peças de teatro e as participações na televisão recifense da Trupe do Barulho e as apresentações de bandas do brega *pop* nos programas vespertinos da televisão local). A hipótese inicial é que esse contraste traz à tona dois universos absolutamente distintos de estereótipos, estratégias enunciativas, discursos, negociações e, sobretudo, encenações da diferença cultural. Embora sem a intenção de catalogar exaustivamente a topografia desses universos, este texto tenta vislumbrar os momentos e os lugares nos quais as fronteiras entre ambos começam a se delinear.

Começo por apresentar dois blocos distintos. No primeiro, algumas cenas[2] emblemáticas da representação do subalterno brasileiro no cinema. Em *O rap do pequeno príncipe contra as almas sebosas* (2000), de Paulo Caldas e Marcelo Luna, *closes* de um delegado – vestido à la Jece Valadão em 1970 – se intercalam aos depoimentos de Helinho, o justiceiro encarcerado, num cenário composto de chita colorida e uma cadeira de metal. Imagens de outros justiceiros encapuzados da periferia de Recife pontuam a narrativa deste documentário. Planos do rosto envelhecido da mãe do justiceiro antecedem as cenas do intenso ensaio na bateria de Garnizé, o pequeno príncipe do título e ex-vizinho de Helinho. Um peão pobre e pardo lendo Nietzsche em *Amarelo Manga*

[2] Cenas que não foram apresentadas em ordem necessariamente cronológica.

(2002), de Cláudio Assis. No mesmo filme, planos de pessoas anônimas, habitantes do centro do Recife, como uma espécie de minidocumentário dentro da ficção. Em *Cidade Baixa* (2005), de Sérgio Machado, a prostituta Karina faz um *strip-tease* numa boate "de quinta" em Salvador. Os amigos Deco e Naldinho lutam nas ruas da Cidade Baixa; alguns moradores abrem as janelas dos seus sobrados decadentes para olhar a briga. Os créditos finais mostram homens, mulheres, crianças, edifícios e símbolos de uma cidade que não está nas brochuras turísticas. O segundo bloco mostra algumas outras cenas: num programa vespertino da TV recifense, um grupo de tecnobrega dubla seu último *hit*, uma versão da dupla Pimpinella dos anos 1970 em ritmo de forró. No final do "filme" (feito em VHS com atores e atrizes amadores do interior de Pernambuco) de artes marciais *"O Vagabundo faixa-preta"*, de Simião Martiniano, o herói deixa uma pequena cidade do interior numa moto depois de espancar praticamente a cidade inteira. No final da peça "*Cinderela, a história que sua mãe não contou*", da Trupe do Barulho, uma canção de Xuxa serve de pano de fundo para que os trapos da heroína se transformem em um "luxuoso" vestido (luxuoso, nesse caso, seria uma licença poética, já que o luxo se resume a algumas lantejoulas e cortes de tecidos brilhantes e baratos).

Há vários modos de interpretar essa colagem de cenas, que, de fato, não tem um mote único, ou uma idéia central. A intenção deste trabalho é ir associando essas cenas, essas imagens, aos conceitos de subalternidade e hegemonia, é estabelecer elos entre modos de representar o subalterno através do cinema, ou uma estética de representação urbana no cinema latino-americano contemporâneo e os contextos nos quais os filmes, programas e peças são produzidos e consumidos; maneiras pelas quais esses produtos culturais se constituem também como documentos históricos a partir dos quais se repensa e se reconstitui a teoria contemporânea[3].

[3] Com relação a uma metodologia de leitura do audiovisual que combine esses dois enfoques (um estético e outro mais culturalista), ver Shohat e Stam (2002, 2003), Guneratne e Dissanayake (2003) e Nacify (2001).

## Tentando definir a subalternidade

Antes de interpretar as várias representações do subalterno colocadas em cena pelos exemplos escolhidos, é oportuno deixar claro tanto o queremos dizer com o termo, como de que lugar teórico estamos falando, em que moldura está colocada esta definição. Como foi dito, a análise empreendida aqui busca colocar esses objetos num contexto multicultural (tanto no que diz respeito à teoria quanto às condições de produção e consumo desses objetos). Evidentemente, não é possível (nem é esse o propósito aqui) no espaço de um artigo dar conta de todas as implicações (e contradições) do termo, contudo, sublinha-se a opção pela apropriação feita pelos Estudos Culturais a partir das teorias marxistas, nas quais Gramsci insere a noção de *subalterno* no lugar de *proletariado*, para tentar escapar da censura, mas, como nota Gayatri Spivak,

> "...a palavra logo abriu novos espaços, como as palavras sempre o fazem, e incorporou a tarefa de analisar aquilo que o termo "proletário", produzido sob a lógica do capital, não era capaz de cobrir" (Spivak *apud* Reis 2003: 20).

Assim, o conceito vai ser ampliado servindo a uma série de categorias e sujeitos paradoxalmente cada vez mais *centrais* para as teorias contemporâneas. Comentando a obra de Spivak (uma das mais destacadas representantes e simultaneamente críticas da teoria pós-colonial e dos "subalternistas"), Robert Young considera a classificação de subalterno tanto para a historiografia (e no nosso caso específico aqui, a cultura) produzida pelo "Outro" quanto para o sujeito que a produz.

> "O historiador subalterno (o subalternista) não apenas localiza instâncias históricas de insurgência, mas também se alinha à subalternidade como uma estratégia para "levar a historiografia hegemônica a uma crise" – o que resulta numa boa descrição da estratégia de orientação do próprio trabalho de Spivak" (Young 1990: 160).

Em outros termos, a teoria pós-colonial e os Estudos Culturais periféricos pretendem representar diretamente o subalterno e a periferia, mais do que isso — já que o pós-colonialismo contesta uma já ultrapassada concepção de representação —, parece ser a própria voz do subalterno que está em jogo (já que até o próprio teórico poderia ser definido como subalterno). A reescritura subalterna da História, a desconstrução do Ocidente feita pelos Estudos Culturais contemporâneos e pelo pós-colonialismo e a tematização desses sujeitos periféricos na teoria, portanto, implicam permanentes ataques (às vezes superficiais, às vezes contraditórios, às vezes tímidos, quase sempre inócuos) à hegemonia ocidental e propõem, se não em todos os casos e enfoques, uma completa inversão, a *reacomodação* do cânone cultural e o descentramento anunciado pelas teorias pós-modernas.

É importante também sublinhar que a apreensão latino-americana das noções de *subalterno* e *periferia*, através dos Estudos Culturais contemporâneos, vai ser crucial para a definição dessa moldura que enquadra o nosso olhar para os objetos e fenômenos audiovisuais aqui escolhidos, para as representações midiáticas do subalterno e da periferia. (Aliás, essa apreensão reflete e influencia de modo vigoroso o movimento desses "subalternos e periféricos" não apenas no universo teórico e acadêmico, mas nos meandros da própria indústria cultural.) A incidência desses termos no discurso teórico sobre e da América Latina é cada vez maior desde a década de 1980, especialmente a partir da consolidação das teorias pós-modernas na região e da emergência de nomes como os de Néstor García Canclini, Beatriz Sarlo, Silviano Santiago e Renato Ortiz – que passam a ter espaço nas universidades mais importantes do mundo. O crescente interesse teórico pelos conceitos de alteridade e diferença cultural também pode ser um dos fatores associados ao *revival* gramsciano, mas certamente a disseminação das modas teóricas do Primeiro Mundo (que certamente acarreta um dos paradoxos mais intrincados do pensamento contemporâneo) teve mais que uma simples ascendência na popularização do conceito de subalterno na academia latino-americana. No início da década de 1990, John Beverley e outros teóricos latino-americanistas e latino-americanos, por exemplo, propõem uma espécie de manifesto, a partir do projeto do Latin American Subaltern Studies Group (Beverley, 2004). Mabel Moraña, por sua vez, investe numa abordagem (auto)crítica do modelo de leitura que propõe o subalterno como chave determinante:

> "Ousaria dizer que para o sujeito latino-americano – que ao longo da história tem sido sucessivamente conquistado, colonizado, emancipado, civilizado, modernizado, europeizado, desenvolvido, conscientizado, "desdemocratizado" (e com toda a impunidade, redemocratizado), e agora globalizado e subalternizado por discursos que prometiam, cada qual no seu contexto, a liberação de sua alma (...). Este mesmo indivíduo que era, em tempo, sujeito, cidadão, *hombre nuevo* entra agora na épica neocolonial pela porta falsa de uma condição degradante elevada a status de categoria teórica que, agora, no meio do vazio deixado pela esquerda que está recomeçando a construir seu projeto político, promete seu desagravo. Mas sempre se pode argumentar que os truques da alienação estão, mais uma vez, impedindo este sujeito de reconhecer sua própria imagem nas elaborações que o transformam em objeto" (Moraña, 2004: 651).

O trecho acima de certo modo revela o contínuo esforço de autoconsciência e de crítica interna aos Estudos Culturais. Nesse sentido, fica evidente que o lugar do subalterno na configuração da cultura contemporânea e na análise e teoria dessa cultura vai ser bem distinto em relação ao recorte disciplinar mais tradicional (e mesmo sendo extremamente crítica de um certo "oportunismo" no uso de alguns termos ligados à subalternidade, a própria Moraña vai reconhecer a importância deste debate mais ao final do seu texto). A teoria contemporânea parece gerar um ponto de observação privilegiado, no sentido da multiplicidade de um espaço intermediário (o que Silviano Santiago e Homi Bhabha chamariam de *entrelugar* (1978, 1998)). Ainda que tantos outros enfoques e estéticas já houvessem problematizado conceitos como representação, identidade, alteridade, hibridismo, colonização,

Ocidente, Oriente, com os Estudos Culturais e com o pós-colonialismo esses elementos são colocados num marco de referências que, em vez de de simplesmente inverter ou descartar termos e hierarquias, vai questioná-los na sua essência e na sua malha de inter-relações, vai pensar as condições de possibilidade, continuidade e utilidade da sua construção.

E é no âmago da argumentação sobre a subalternidade e suas relações com a identidade e com a diferença que vamos nos deparar com a dualidade centro-periferia e com a crise em relação a ela. Podemos vislumbrar nessa crise a pedra de toque do contemporâneo, que vai repensar as "regras do jogo" da cultura a partir do descentramento. O descentramento vai ser muitas vezes tomado como uma inversão de valores. De repente, as margens passam a centro e o centro a margem, numa celebração catártica das diferenças em desfile.

> "A singularidade cultural é o campo utópico do subalternista. O subalternista por definição deixa-se permanecer preso à condição problemática básica de, ao mesmo tempo, afirmar e abandonar a singularidade cultural. O subalternista precisa afirmar e, em seguida, encontrar e representar – isto é, precisamente não "construir" – a singularidade cultural do subalterno, tida como diferença positiva diante da formação cultural dominante" (Moreiras, 2001: 198).

As teorias baseadas nas culturas subalternas, as políticas da diferença e os conceitos relacionados com a produção cultural periférica apontam para um entrelaçamento entre experiência cultural, a prática da crítica e o terreno da política, para um transbordamento da cultura para fora do campo estético. Vão sugerindo, assim, um campo fortemente marcado pela utopia: a utopia dos discursos da heterogeneidade e de um entrelugar complexo e híbrido. Ou seja, discursos que, num paradoxo sempre intrigante, almejam uma certa harmonia nas diferenças. E assim como a utopia depende da impossibilidade da sua realização, o teórico da subalternidade, da periferia (que já se refere a um centro), enfim, do entrelugar sabe que está incessantemente denunciando a impraticabilidade de seu projeto.

## A estética da periferia no novo cinema do nordeste

Como já apontamos em outras ocasiões (Prysthon, 2003, 2005), é irrefutável a crescente profusão de imagens da subalternidade e de sujeitos excluídos na mídia brasileira. Especialmente a partir da década de 1990, depois de terem arrefecido os entusiasmos cosmopolitas da cultura pós-moderna (Prysthon 2002), a representação de temas, personagens, estilos, lugares e situações que remetessem às identidades locais, às periferias e às diferenças de uma ou várias "essências brasileiras" parece ser a tônica da maior parte da produção cultural nacional. Se esse é um traço marcante das duas últimas décadas em todas as esferas da cultura, no audiovisual vai se configurar quase como uma norma absoluta, ou uma "receita de sucesso". Assim, o audiovisual no Brasil parece estar contribuindo veementemente (mesmo que nem sempre seja um movimento consciente e sistemático) na constituição de um "cânone da periferia".

Nas primeiras cenas mencionadas na abertura desse texto (e que formam parte da crescente produção cinematográfica do Nordeste, com Pernambuco destacando-se como o pólo mais representativo da região), é patente a adesão a este cânone. O primeiro filme mencionado, o documentário *O rap do pequeno príncipe contra as almas sebosas*, mostra as trajetórias paralelas de dois jovens saídos de um subúrbio miserável da Grande Recife, Camaragibe – um "justiceiro" e um músico de rap. O propósito parece ser demonstrar que os excluídos teriam dois caminhos distintos frente a sua condição e, para tentar superar o inerente maniqueísmo da sua estrutura, visa também problematizar as implicações embutidas nessas escolhas:

> "O documentário mostra que, em meio ao caos sócio-urbano, há duas possibilidades: a primeira é apresentada por Garnizé, que se envolve com música e com projetos sociais na tentativa de superar adversidades. Já Helinho se torna um justiceiro para "sanar" os problemas relacionados à violência em Camaragibe, o que lhe rende uma imagem positiva perante a

comunidade. Ao mostrar depoimentos que enaltecem as atividades de Helinho, vemos que as noções de "mal" e de bem são mutáveis e graduais" (Souza, 2006: 56).

Mas o que mais interessa ao nosso argumento neste artigo é o modo como algumas cenas desse filme vão objetificando o subalterno. Shohat e Stam (2002:190-191) falam de uma "carga da representação", que traz embutida uma série de estereótipos e conotações estéticas, religiosas, políticas e semióticas. Dos três filmes escolhidos aqui, *O rap* é o mais "carregado", talvez por se tratar de um documentário e, como pressuposto, representar o real de modo mais direto. Entretanto, o processo de objetificação da periferia não difere tanto do cinema ficcional.

Algumas das cenas mais reveladoras d´*O rap* talvez sejam justamente aquelas em que aparece a mãe do justiceiro, nas quais *closes* de pedaços da sua face vão se alternando na tela, com uma ênfase forte menos no que diz essa mulher (faz a defesa do filho) e mais nos efeitos estéticos atordoantes que a proximidade dessa boca ou bochechas, olhos e nariz provoca. Em outro momento do filme, Helinho (que foi assassinado algum tempo depois das filmagens por companheiros da prisão) aparece numa cela (ou sala) do presídio Aníbal Bruno e, com quase que os mesmos recursos de movimentação de câmara e enquadramento que nas cenas da mãe, seu rosto contrasta com um fundo colorido feito de chita estampada, bem ao gosto da estética mangue[4], com a qual, confessadamente, os cineastas pernambucanos, inclusive Caldas e Luna,

[4] *Manguebit* ou *manguebeat* são alguns dos nomes dados ao movimento de música pop (e que posteriormente se estende de modo mais ou menos uniforme à moda, às artes plásticas, ao cinema e ao comportamento) que surge em Recife no início dos anos 1990. Poderíamos arriscar dizer que um dos princípios básicos dessa estética é o hibridismo, que vai mesclar elementos da cultura global com aspectos nitidamente "vernaculares" (Fonseca, 2005). Na moda, por exemplo, o uso de adereços, padronagens e estampas oriundas de manifestações da cultura popular e folclórica chama a atenção pela sua recorrência.

dialogam. Em determinada altura entra em cena um dos personagens mais caricatos (entre vários outros) do documentário, o delegado que cuida do caso Helinho, e ele vai encarnar de modo elucidativo o mecanismo de estilização da subalternidade empreendido por este tipo de cinema: com seus óculos *Ray-ban* falsificados, com seu figurino anos 1970, com sua pose de cafajeste, o delegado se presta tanto ao *comic relief* (os diretores possivelmente quiseram quebrar um pouco o contexto pesado de violência do filme), como à afirmação de que o subalterno é antes de tudo um "estiloso". O subalterno, o periférico, o excluído, o marginal, esse sujeito/objeto da cultura contemporânea, é alçado não apenas à categoria teórica, como apontava Moraña acima, mas a elemento estético, a recurso estilístico.

Como também já indicado em outros trabalhos nossos (2004, 2005), *Amarelo Manga* acentua a estetização do subalterno, trazendo à tona de modo ainda mais agudo a caracterização dos subalternos excêntricos e da feiúra interessante dos cenários da cidade do Recife. O filme enfoca a vida miserável de vários habitantes do centro depauperado da cidade, especialmente os moradores do Texas Hotel, um lugar imundo e decadente. Assis apresenta um mosaico de imagens bem forçadamente inusitadas, evocando propositadamente a imagem do subalterno como aberração. Paradoxalmente, nos minidocumentários que pontuam a metade final do filme, também vão ser enfocadas figuras do povo, gente ordinária e cenas do cotidiano.

Então, a oscilação entre a hipérbole freak e o naturalismo etnográfico, o confronto de personagens verossímeis (a crente, a bicha "cafuçu", a dona do bar, o dono do hotel, o açougueiro) e inverossímeis (o necrófilo, a gorda, o padre, os índios que assistem televisão no *lobby* do Texas Hotel), tudo isso aponta para uma certa consciência simultânea da impossibilidade e da urgência da representação da subalternidade através do audiovisual. Em alguma medida, *Amarelo Manga* consegue ultrapassar o anedótico e estende os limites do grotesco, apresentando uma representação da subalternidade que chama a atenção pela sua complexidade, pela sua polissemia.

O trio à deriva de *Cidade Baixa* traz à baila uma maneira quiçá mais delicada de expor essa imagem do subalterno. Espécie de *Jules et Jim* baiano, o triângulo amoroso de excluídos (a prostituta Karina e os dois biscateiros, donos de um pequeno barco a vapor, Deco e Naldinho) trafega pelos becos, vielas e sobrados da Cidade Baixa de Salvador, de modo a exibir uma cidade bem distante dos esperados clichês do axé e da baianidade *for export*. A Salvador de *Cidade Baixa* não é o ensolarado desfile da negritude em festa ou do carnaval das celebridades do segundo escalão da televisão brasileira. É sim um lugar de encontro dos mais variados tipos de párias: estivadores, ambulantes, prostitutas, marinheiros, feirantes, pequenos mafiosos. O mais inusitado desse conjunto, todavia, é a sua discrição. Longe da urgência hiperbólica de *Amarelo Manga* (filme com o qual, contraditoriamente, *Cidade Baixa* ainda guardaria alguns laços, especialmente se recordamos os minidocumentários do primeiro como parentes distantes dos créditos finais do segundo – suas imagens de sobrados em ruínas, do mercado Modelo, dos seus personagens e até de seus utensílios e quitutes), as imagens de subalternidade não buscam tão sofregamente o "estilo".

Contudo, identificar a discrição subalterna exposta pelo filme de Machado não equivale a dizer que houve uma total anulação dos estereótipos. É mais provável chamar de atenuação do "típico" (Zizek, 2005: 11-12), mas essa atenuação ocorre completamente dentro dos parâmetros do "típico". Ou seja, seus subalternos são discretos, são "suaves", sem deixar de encarnar as expectativas do cânone da periferia, como demonstram, de modo ainda mais emblemático que o filme em si, os créditos finais. Filmar esses anônimos, mostrar a gente comum que anda pelas ruas de Salvador (restituindo de alguma maneira a normalidade ao seu trio protagonista através da normalidade desse cotidiano) é também buscar essa afinação com o espírito do tempo, com "essa nova e indispensável maneira de conceber a política no âmbito da cultura em nível global" (Shohat e Stam, 2002: 329).

## Epílogo: o subalterno fala outra língua?

Entretanto, ao examinarmos o segundo bloco de cenas mencionado no início desse artigo e que se refere a um tipo de produção cultural subalterna, ou, mais exatamente, ao nos depararmos com as representações de subalternidade tecidas no interior da própria subalternidade, tudo é muito diferente: estamos diante do avesso dessa busca de imagens alternativas, passamos ao largo da reconstrução do típico, da revalorização do excêntrico ou do confronto do etnográfico com o inesperado. Quase podemos vislumbrar uma definição: a representação do subalterno (as imagens de subalternidade pelo próprio subalterno) é um "negativo" das narrativas hegemônicas.

Tomemos como exemplo a trajetória de Simião Martiniano, um senhor aparentando mais de setenta anos que, desde o final da década de 1980, vem produzindo "filmes" em VHS.

São produções de baixo orçamento custeadas pelo próprio Simião e sua equipe, todas elas registradas no Conselho Federal de Cinema. Martiniano escreve, produz, dirige e também costuma atuar em seus filmes. Seu trabalho mistura gêneros estrangeiros e elementos nordestinos com enredos de inspiração autobiográfica e popular. O acabamento é modesto e por vezes descuidado, mas sempre curioso (Heliodoro, 2002: 6)

Os filmes de Martiniano são realmente curiosos, mas não pelo que têm de tosco ou incompleto, não pelo que apresentam de excêntrico ou *trash*, mas justamente pela familiaridade, mais ainda, pela fidelidade aos gêneros *mainstream* do cinema mundial. Entre 1988 e 1999, Martiniano produziu seis filmes, todos eles seguindo à risca as convenções mais básicas de gêneros canônicos como o *western*, o terror, a comédia e até as artes marciais. O elemento local (sotaque, locações, a inescapável precariedade da produção) sempre vem à tona, mas o cerne dos filmes, seu espírito e a imagem projetada por eles não têm nada a ver com a subalternidade. Filmes como *O vagabundo faixa-preta* ou *A moça e o rapaz valente* dizem respeito às aspirações universais (não apenas Martiniano, mas toda a equipe que o cerca e também o público que assiste aos seus filmes[5]).

Quando Martiniano escolhe trechos das trilhas sonoras dos *westerns* clássicos para compor seus filmes ou insere arremedos de efeitos especiais, como em *A Rede Maldita*, ele está levando a cabo as suas fantasias estritamente hegemônicas. Hegemônicas pelas suas narrativas, pela sua estrutura de produção (em que ele encarna a figura do realizador completo – produtor, diretor, roteirista, ator – e a sua equipe evoca um *star-system* precário e desdentado) e pela suspensão efetiva de qualquer alusão à idéia de diferença cultural. Martiniano desconhece a sua própria condição de subalterno, ele desautoriza qualquer versão autocomplacente de mundo (do seu mundo) e talvez, mesmo inadvertidamente, esteja desestabilizando o próprio conceito de subalternidade.

Poderíamos dizer quase o mesmo das imagens dos programas de auditório locais do Norte e Nordeste, nos quais também há o estabelecimento desse *star-system*, de uma ordem que demonstra o divórcio cada vez mais óbvio entre a cultura oficial e canonizada (da qual fariam parte, entre outras manifestações, a MPB, o novo cinema brasileiro e a literatura *mainstream*) e as opções e aspirações estéticas realmente populares – e subalternas. Os artistas de tecnobrega e forró eletrônico, com seus cabelos oxigenados, com suas roupas de tecidos sintéticos e suas coreografias limitadas, não querem afirmar o local ou *típico*, eles almejam a modernidade universalizante do *shopping*, da TV, das novas tecnologias.

Entretanto, nos casos mencionados acima, a apropriação das narrativas hegemônicas ainda é feita de modo inconsciente e espontâneo, não há nada de programático, e pode-se ver, inclusive, uma espécie de apagamento de fronteiras entre o hegemônico e o subalterno. O que pode ser de certa maneira concluído também a partir das peças e dos programas de televisão encenados pelo grupo teatral (e midiático) Trupe

---

[5] Os filmes de Simião Martiniano têm sido exibidos primordialmente em sessões especiais em cidades do interior de Pernambuco.

do Barulho[6], nos quais a equalização entre hegemonia e subalternidade vai ser um dos elementos constituintes, nos quais vai ser feita a reelaboração de narrativas canônicas e vão ser apresentadas as fantasias brilhantes da modernidade brega. Na Trupe do Barulho, contudo, até por operar fundamentalmente com paródia, com a farsa, e com a crueldade do grotesco, esses elementos são articulados de modo consciente.

A consciência da subalternidade faz parte da proposta do grupo e a forma de discuti-la (e quiçá superá-la) é assumindo-a escancaradamente, mas ainda assim negando qualquer autocomplacência ou auto-exotismo nessa empresa. Pelo contrário, a estratégia de entrada ao hegemônico não tem nada de autopiedosa, não negocia com o discurso da vítima:

> (A Trupe do Barulho) encenou sua autodepreciação em troca de popularidade. Sua agência teria sido, inicialmente, também uma forma de adesão (conivência). Porém, a sua representação parece ter tido algum efeito de transgressão nos valores culturais da cidade. Haja vista que, por exemplo, há pouquíssimo tempo atrás [*sic*], seria muito improvável a presença de um personagem como essa Cinderela (um travesti, negro, pobre e semi-analfabeto) na televisão; muito menos em campanhas publicitárias, vendendo qualquer tipo de produto (Reis 2003: 140).

De certa forma, o mundo vislumbrado nessas representações do subalterno (pelo subalterno) tem certamente algo de utópico, já que há um empoderamento previsto nessa apropriação das narrativas hegemônicas, mesmo nas suas formas mais inconscientes. Contrastadas com suas versões *mainstream*, as imagens de subalternidade pelo subalterno estão muito menos marcadas pelos preconceitos (positivos

[6] Por exemplo, em todos eles (os espetáculos da Trupe do Barulho), os atores interpretam papéis femininos, isto é, atuam vestidos de mulher, uma vez que o verdadeiro gênero do personagem nunca é revelado de forma clara à platéia: não se sabe ao certo se são mulheres ou travestis. (...) Diversas formas de preconceito são trazidas à cena. As minorias são ridicularizadas impiedosamente. A crueldade se faz presente em cada gesto, em cada fala (Reis, 2003: 9).

e negativos), elas revelam uma maior autonomia por parte desse sujeito periférico, sugerem que é possível ir deslocando as margens, que é possível repensar a idéia de centralidade.

## Referências bibliográficas


BEVERLEY, John. *Subalternity and representation*. Arguments in cultural theory. Durham: Duke University Press, 1999.

________. Writing on the reverse. *In*: DEL SARTO, Ana; RÍOS, Alicia; TRIGO, Abril (eds). *The Latin American cultural studies reader*. pp. 623-641. Durham/Londres: Duke University Press, 2004.

BHABHA, Homi K. *O local da cultura*. Belo Horizonte: Editora da UFMG, 1998.

FONSECA, Nara Aragão. Reapropriação urbana e ruptura estética. A ótica mangue em *Conceição*. *In*: CUNHA FILHO, Paulo C. (org). *Simulacros e espetáculos*. Caderno de esboços. pp. 97-114. Recife: Bagaço, 2005.

FONTANELLA, Fernando. ***A estética do brega*: cultura de consumo e o corpo nas periferias do Recife.** Dissertação de mestrado. Universidade Federal de Pernambuco, PPGCOM, 2005.

GUNERATNE, Anthony; DISSANAYAKE, Wimal (eds.). *Rethinking third cinema*. Londres/Nova York: Routledge, 2003.

HELIODORO, André Carlos Arruda. Os filmes de Simião Martiniano. Monografia de conclusão de curso. Universidade Federal de Pernambuco, DCOM, 2002.

JAMESON, Fredric. *Espaço e imagem*. Teorias do pós-moderno e outros ensaios. Rio de Janeiro: Editora UFRJ, 1994.

MORAÑA, Mabel. The boom of the subaltern. *In*: DEL SARTO, Ana; RÍOS, Alicia; TRIGO, Abril (eds). *The Latin American cultural studies reader*. pp. 643-654. Durham/Londres: Duke University Press, 2004.

MOREIRAS, Alberto. *A exaustão da diferença*. A política dos estudos culturais latino-americanos. Belo Horizonte: Editora da UFMG, 2001.

NACIFY, Hamid. *An accented cinema*. Exilic and diasporic filmmaking. Princeton: Princeton University Press, 2001.

PRAKASH, Gyan. Postcolonial criticism and Indian historiography. *Social Text*, vol. 31-32, pp. 6-18, 1992.

PRYSTHON, Angela. Amarelo Manga e a representação do subalterno no cinema brasileiro contemporâneo. *Arrecifes - Revista do Conselho Municipal de Cultura*, vol. 29, pp. 18-23, Recife, 20 dez. 2004.

________. Os conceitos de subalternidade e periferia nos estudos de cinema brasileiros. *In*: CAPPARELLI, Sérgio *et al.* (orgs.). *A comunicação revisitada*, pp. 233-247. Porto Alegre: Sulina, 2005.

________. A periferia fashion: dois exemplos do cinema brasileiro contemporâneo. *Suplemento Cultural do Diário Oficial do estado de Pernambuco,* vol. 2, pp.2-4, 2003.

________. Rearticulando a tradição: rápido panorama do audiovisual brasileiro nos anos 90. *Contracampo*, vol. 7, pp. 65-78, 2002

REIS, Luís Augusto da Veiga Pessoa. Trupe do Barulho, vozes silenciosas. Entre o teatro e os mass media: o sucesso do subalterno no Recife dos anos 90. Dissertação de mestrado. Universidade Federal de Pernambuco, PPGCOM, 2003.

SANTIAGO, Silviano. *Uma literatura nos trópicos*. São Paulo: Perspectiva, 1978.

SHOHAT, Ella; STAM, Robert. *Multiculturalismo, cine y medios de comunicación*. Barcelona: Paidós, 2002.

________. (eds). *Multiculturalism, postcolonialism, and transnational media*. New Brunswick/New Jersey/Londres: Rutgers University Press, 2003.

SOUZA, Gustavo. Traficantes, justiceiros e rappers. A invasão dos setores da margem na produção de documentários. Dissertação de mestrado. Universidade Federal do Rio de Janeiro, PPGCOM, 2006.

YOUNG, Robert. *Colonial Desire*. Hybridity in theory, culture and race. London/New York: Routledge, 1995.

________. *White Mythologies*. Writing history and the west. London/New York: Routledge, 1990.

ZIZEK, Slavoj. Multiculturalismo, ou a lógica cultural do capitalismo multinacional. *In:* DUNKER, Christian; PRADO, José Luiz Aidar (orgs.). *Zizek crítico*. Política e psicanálise na era do multiculturalismo. pp. 11-45. São Paulo: Hacker Editores, 2005.

# Manguebeat – A "parabólica na lama" modernizando o passado. Representações da nova música regional no Brasil[1]

*Marcelo Kischinhevsky*[2] *e Micael Herschmann*[3]

## Introdução

Numa noite abafada no fim de 2005, o Circo Voador estava lotado com mais de dois mil espectadores. A maioria trazia na ponta da língua as letras de músicas lançadas dez anos antes pelo falecido cantor Chico

[1] Este trabalho reúne algumas das reflexões que vêm sendo desenvolvidas sobre a indústria da música brasileira no projeto de pesquisa intitulado "Comunicação, Cultura e a Indústria da Música do Estado do Rio de Janeiro - Subsídios para a elaboração de políticas de desenvolvimento local sustentável e políticas culturais democráticas", que vem desde 2005 sendo apoiado pela Capes e pela SR-2/CNPq.

[2] É jornalista e doutor em Comunicação e Cultura pela Escola de Comunicação da UFRJ.

[3] Professor da Escola de Comunicação da UFRJ, onde também coordena o Núcleo de Estudos e Projetos em Comunicação. Autor de vários ensaios e livros (individuais e em parceria), incluindo *Comunicação, Cultura e Consumo. A (des)construção do espetáculo contemporâneo* (Ed. E-Papers, 2005), *Mídia, Memória & Celebridades* (Ed. E-Papers, 2003) e *O funk e o hip-hop invadem a cena* (Ed. UFRJ, 2000).

Science e recebia de braços abertos a Nação Zumbi, grupo que ajudou a plantar a semente do manguebeat, um dos mais relevantes movimentos culturais e artísticos surgidos na música pop brasileira. A Marcelo Janot, um dos DJs de maior sucesso no Rio de Janeiro, não escapou um detalhe crucial: o público emulava até o sotaque pernambucano do cantor Jorge Du Peixe, enquanto cantava em coro o refrão de *Manguetown* ("andando por entre os becos / andando em coletivos / ninguém foge à vida suja dos dias da manguetown"), faixa do álbum *Afrociberdelia* (selo Chaos da Sony Music, 1996).

Nos primeiros anos do século XXI, a hegemonia cultural dos grandes centros urbanos de certa forma vem sendo afetada. Alimentados pelo desejo de construir estilos de vida e estabelecer ou fortalecer identidades locais (ou "glocais"[4]), conseguindo mais visibilidade e interação por meio das novas tecnologias de informação e comunicação, as manifestações regionais ganham força e voz, ditando modas e influenciando gerações, até em cidades situadas a milhares de quilômetros de distância. Questões sobre a regionalização têm de ser urgentemente revistas. Não se podem mais analisar as manifestações culturais regionais apenas a partir da ótica da conservação de registros ou da noção de um patrimônio cultural a ser preservado, e sim é fundamental que se reflita sobre sua inserção e sua visibilidade numa indústria cultural cada vez mais globalizada e pulverizada.

Neste artigo, buscaremos repensar as fluidas fronteiras que vêm sendo desbravadas pelas novas gerações de artistas da periferia ou de fora do eixo Rio-São Paulo, onde a indústria cultural brasileira se organizou ao longo do século XX. Pretendemos analisar não só o lugar ambí-

[4] Termo que, conforme Roland Robertson, tem origem na expressão japonesa *dochakuka*, derivada de *dochaku*, ou "viver da própria terra". A glocalização – idéia popular no mundo dos negócios do Japão a partir dos anos 1980 – significa produzir localmente, com um olhar global. O conceito foi extrapolado para o campo cultural, especialmente a partir dos anos 1990, na esteira dos estudos sobre os desdobramentos da globalização (Robertson, 1999).

guo – a um só tempo, central e marginal – ocupado pelo manguebeat e, de modo geral, pela nova música regional na cultura brasileira contemporânea, mas também o tipo de dinâmica que se expressa na produção e no consumo cultural a eles associados. Pretendemos ressaltar aqui que, apesar de parte destas expressões culturais não serem bem-vistas pela crítica ou por setores acadêmicos mais conservadores (condenadas em geral como estrangeirismos e/ou como música de baixa qualidade), elas se constituem em manifestações de grande relevância sociocultural e de grande capacidade de mobilização do público, das mais diversas camadas da população. Enfatizaremos também que, com o sucesso no mercado (nacional e internacional), essas expressões culturais, em razão de sua condição híbrida, podem ser enquadradas não apenas em um referencial local ou regional, mas também como formas de manifestação da cultura contemporânea globalizada, extrapolando os conceitos de manifestações populares e de massa (Huyssen, 1987).

Ao mesmo tempo, a partir da análise das representações (Chartier, 1990) veiculadas nos principais jornais do país (*O Globo*, *Jornal do Brasil* e *Folha de S. Paulo*), e problematizando os sentidos e significados que vêm sendo construídos em torno da música regional de características híbridas hoje, buscamos analisar as dificuldades e facilidades para a consolidação de um *locus* para este tipo de produção cultural, tomando como estudo de caso o manguebeat e tendo em vista, entre outras coisas: as tensões entre o global e local; a intensa concentração das empresas das indústrias culturais no mundo globalizado e suas conseqüências sobre a cultura local; a mobilização e o interesse do público em torno dos produtos culturais glocais; os obstáculos para o acesso e ao mesmo tempo as facilidades promovidas pelas novas tecnologias (especialmente via internet); o constante *lobby* das multinacionais da indústria fonográfica junto às instituições públicas; e a ausência de políticas públicas mais consistentes e democráticas dirigidas ao setor cultural.

Ao tomarmos como base para este trabalho essas representações veiculadas na mídia, estamos considerando as mesmas, tal como sugere Chartier (1990), como "instituições sociais", na medida em que é possível atestar que são importantes referências na construção do "real", são produtoras de ordenamento a orientar a ação dos agentes (Ribeiro, 2005). Assim, ao analisar as narrativas em torno da música regional, buscamos compreender como as práticas complexas, múltiplas e diferenciadas constroem o "mundo como representação" (Chartier, 1990), ou melhor, buscamos avaliar a capacidade dos atores sociais através de seus discursos – músicos, público consumidor e crítica especializada – para normatizar e "(re)fundar" (Orlandi, 1993) novos sentidos e espaços para expressões da música regional no Brasil.

## Expressões culturais regionais híbridas do Brasil contemporâneo

O intenso fluxo de conteúdos provenientes de outros países, especialmente a partir da segunda metade do século XX, impõe às culturas locais acentuadas possibilidades de intercâmbio num dialogismo constante com o global. O processo, a despeito da visão crítica predominante nos anos 1960 e 1970 (Beltrán e Cardona, 1982; Werthein, 1979), está consideravelmente distante de uma imposição cultural e muito mais próximo de uma permanente reelaboração cultural, em que os influxos e as inovações, locais e globais, produzem constantes interpelações e respostas. Assim, tanto nas tradicionais expressões estético-culturais quanto nas suas manifestações contemporâneas, o que se constata é uma cultura convocada a produzir respostas a determinados referentes mais gerais, internacionais ou hegemônicos, em nível nacional.

A globalização da economia e o fluxo de bens e produtos culturais facultam a criação de novas "subculturas" (Hebdige, 1979), como espaços (momentâneos, nem sempre duráveis por longo tempo) de expressão de especificidades e de celebração da alteridade. Movimentos que indicam mais um sentido de heterogeneização cultural (ou multiculturalismo) do que homogeneização, como parecia indicar, poucas décadas atrás, o debate em torno da mídia e de seu papel massificador frente às culturas populares e tradicionais.

Um contingente já expressivo de autores tem se dedicado a discutir a relação entre o global e o local (Bhabha, 2003; Featherstone, 1991). Dentre eles, poderíamos destacar, por exemplo, Arjun Appadurai (1991), que reconhece fatores inerentes às características de circulação e "desterritorialização" do processo global, para identificar as cinco dimensões com que procura descrever a situação contemporânea, com suas tensões entre "homogeneização" e "heterogeneidade", e o aparecimento de mentalidades organizadas em torno do que chama de "mundos possíveis", ou seja, de formas de consciência notabilizadas pelo entendimento do mundo como espaço unificado. Deste modo, o fluxo de pessoas de diversas ordens, a disseminação tecnológica, o circular efêmero, mas intenso, no mercado financeiro unificado, o modo como as informações atingem permanentemente as faces do planeta, a partir da lógica da novidade, as tecnologias eletrônicas e a propagação de idéias conectadas em torno de princípios políticos e ideológicos engendram sociabilidades e apressam práticas numa dinâmica mundial.

Nesse sentido Ortiz enfatiza que

> "com a mundialização da cultura (...) o espaço torna próximo o distante, estendendo sua presença aos territórios afastados. A viagem deixa de revelar o distinto, o estranho, e se constitui numa extensão do 'nós'. Um 'nós' difuso, complexo, que se insinua nos lugares, a despeito de suas idiossincrasias e de sua história" (Ortiz, 1994: 220-221).

Ao mesmo tempo, é preciso ressaltar também que a cultura local tem ocupado um lugar importante na dinâmica cultural do mundo globalizado. Hall (1997) procura enfatizar essa questão ao afirmar que, em vez de pensar o global substituindo o local, seria mais cuidadoso pensar numa articulação entre o local e o global. Este local não deve ser, naturalmente, confundido com antigas identidades, firmemente enraizadas em localidades bem demarcadas. O local opera no interior da lógica da globalização e parece improvável que a globalização simplesmente destruirá identidades nacionais ou regionais.

De fato, muitos estudos sobre globalização, que antes eram pródigos em denunciar uma homogeneização cultural supostamente crescente, apontam hoje para uma visão menos fatalista. Um dos primeiros a apontar ambigüidades neste processo, Ianni acredita que a

> "sociedade global continua e continuará a ser um todo povoado de províncias e nações, povos e etnias, línguas e dialetos, seitas e religiões. As diversidades que floresceram no âmbito da sociedade nacional, quando esta absorveu feudos, burgos, tribos, etnias, nacionalidades, línguas, culturas, tradições, sabedorias e imaginários podem tanto desaparecer como transformar-se e florescer, no âmbito da sociedade global. Os horizontes abertos pela globalização comportam a homogeneização e a diversificação, a integração e a contradição" (Ianni 2001: 83).

Evidentemente, assistimos também na cultura contemporânea globalizada a um ressurgimento das questões étnicas ou de movimentos socioculturais marcados pela radicalidade e pela intolerância com o *outro*. Hall (1997) enfatiza que o *revival* das etnias, a demanda por diferenças étnicas nas sociedades globalizadas não implicam a recuperação de qualquer tipo de pureza cultural perdida ou de absolutismo étnico. Em outras palavras, certamente o fenômeno do fundamentalismo vem ressurgindo em algumas áreas do globo; contudo, a tônica tem sido o fortalecimento de culturas e identidades híbridas. As paisagens culturais de classe, gênero, sexualidade, etnia e nacionalidade que, no passado, nos tinham fornecido sólidas localizações como indivíduos sociais estão fragmentadas. Defrontamo-nos com o descentramento dos indivíduos tanto de seu lugar no mundo social e cultural quanto de si mesmos, isto é, as identidades modernas "estáveis" foram deslocadas ou fragmentadas (Hall, 1997).

Ao longo dos séculos XIX e XX, identidades regionais e nacionais foram elaboradas, concebidas e reordenadas, conforme as mais diversas realidades. Países centrais construíram narrativas de nacionalidades que se atribuíam um papel geopolítico de destaque, enquanto países periféricos, muitas vezes com suas fronteiras redesenhadas conforme o andamento de disputas territoriais e imperialistas, buscaram discursos fundadores e heróis nacionais para se contrapor aos vizinhos ou a potências estrangeiras, além de combater (pelas armas ou pela via diplomática) aspirações separatistas. Neste período, inventaram-se muitas das chamadas "tradições" culturais de caráter regional ou nacional, na prática respostas às interpelações trazidas pela crescente circulação de bens (simbólicos ou não) originários de nações mais desenvolvidas (Anderson, 1983).

Ocorreram no século XX dois movimentos em direções opostas, no campo cultural: passamos a assistir não só a uma preocupação dos atores, através de seus discursos, em "naturalizar" certas manifestações culturais como sendo "regionais" ou "nacionais", mas também a de outros que passaram a abraçar a experimentação/inovação e que foram identificados como transgressores, pois supostamente haviam cruzado as fronteiras do "gênero" (Fabbri, 1981; Frith, 1981) ou identitárias. Assim vão se evidenciando articulações e tensões sociais entre os partidários da renovação e aqueles que defendem as "tradições" locais/nacionais. Em seus discursos veiculados especialmente nos meios de comunicação, esses atores sociais passam a travar embates que visam garantir a hegemonia ou espaço aos (velhos ou novos) gêneros musicais: vão assim "tecendo sentidos" (Geertz, 1978), atribuindo significados à "realidade".

Ao mesmo tempo, para desespero dos críticos mais conservadores, é possível constatar que, nas últimas décadas, com a intensificação da globalização, o embate entre estes conteúdos "originários" de outras nações ou regiões e os constituídos localmente vem, freqüentemente, conformando o que Canclini (1997) chamou de "culturas híbridas". Manifestações artísticas que passam a dialogar com o que vem do exterior, estabelecendo descontinuidades e atualizando-se, do ponto vista das representações culturais. Cabe ressaltar que os movimentos são muitas vezes simultâneos.

Diante deste processo, o "nacional" vem perdendo terreno como fator definidor e explicativo da realidade, enquanto vêm emergindo outros recortes identitários, mais múltiplos e híbridos. Uns centrados em estilos de vida cada vez mais locais ou glocais – alguns marginais e alternativos – e outros que requerem soluções pautadas por agentes extranacionais e pela adoção de políticas públicas que, muitas vezes, extrapolam o nível de competência e de autoridade de cada governo. É o caso de expressões culturais, políticas e organizativas, como as questões ambientais, de gênero, de etnicidade, de habitação, de saúde, de alimentação, etc. Portanto, algumas questões passam a ser cada vez mais de abrangência mundial, apesar da particularidade e diversidade nacional e regional com que cada uma delas possa ser encarada e conduzida.

Como veremos a seguir – a partir do estudo de caso do manguebeat (mas também fazendo referência a outras expressões culturais regionais como o funk, samba e sertanejo/country) –, as representações que buscam legitimar "tradições" locais continuam bastante presentes na cultura contemporânea. Aliás, neste novo contexto ocorre uma revalorização de práticas e representações que se designam como locais (embora apareçam também revestidas de uma dimensão transnacional).

Se tomarmos o funk brasileiro como um exemplo de "expressão cultural regional híbrida", constatamos que a sua trajetória é bastante ilustrativa das articulações e tensões que se estabelecem entre o local e o global, entre o tradicional e o novo. Não há dúvida de que, apesar do sucesso nacional (e até internacional) eventual de algum rap ou melô, o funk está muito identificado com o Rio de Janeiro. Entretanto, caso levemos em conta o conjunto de elementos que caracterizam o "estilo de vida" (Bourdieu, 1984) do funk, vemos que ele comporta também a negociação, promovendo uma constante "pilhagem" ou "sampleamento cultural". Aliás, esta parece ser uma "estratégia" – nem sempre traçada com objetivos claros – que vem garantindo bastante visibilidade e espaço social a estes agentes sociais, seja no vestuário, em que os funkeiros mesclam a indumentária de surfistas de classe média da Zona Sul com as dos rappers norte-americanos; seja nos usos de espaços antes destinados ao samba e aos esportes nas comunidades pobres; seja na música, em que o sampler é utilizado como ferramenta básica que permite que cantores e DJs extrapolem a batida no estilo *Miami bass* e realizem uma costura com sons e ritmos identificados a outros gêneros e estilos, como brega, hip-hop, cantigas de roda, pagode, entre outros. Este tipo de postura, além de garantir visibilidade, um espaço de mercado, permitir-lhes-ia realizar uma espécie de "resistência" bastante peculiar, pilhando, apropriando-se de elementos já canonizados nas culturas hegemônicas (Herschmann, 1993, 2000; Vianna, 1988).

Um claro exemplo disso, e que talvez indique uma tendência nas expressões musicais mais recentes, é o grau de importância dado à questão da "tradição". Tomemos como ponto de partida para essa discussão uma breve comparação entre o samba e o funk. É bem verdade que o samba não é exatamente uma expressão cultural juvenil e isso implica inúmeras diferenças, mas é interessante notar a relevância que tem a "tradição" para seus produtores culturais. Apesar de o samba incorporar as mudanças, hibridações – não sem algumas resistências –, há uma preocupação por parte dos atores sociais em construir uma legitimidade, em se demarcar um lugar histórico para essa expressão cultural, bastante enraizada no imaginário social nacional, especialmente após a massificação, via rádio, a partir dos anos 30 do século passado. Em sua pesquisa sobre o pagode, Pereira (1995) sugere como o surgimento deste "subgênero" musical do samba implicou a reformulação, ou melhor, a própria "reinvenção da tradição" (Hobsbawn e Ranger, 1984) do samba. Há uma clara diferença na forma em que a tradição é engendrada no samba e no funk. Enquanto os sambistas não assumem que o samba (com outras expressões culturais) é uma construção, um artefato cultural e continuam zelando pela sua tradição, produzindo representações que sugerem que esta manifestação cultural é "autêntica", possuiria "raízes" – estaria ligada à "origem", à fundação da sociedade brasileira –, em seus discursos os integrantes do mundo funk, em geral, mais do que admitir que essas expressões se constituem em um "signo vazio", reconhecem na modernização uma articulação necessária a sua sobrevivência e renovação, ou melhor, parecem ter abandonado (ou pelo menos não valorizam tanto) o "mito" da autenticidade e da imparidade (Herschmann, 2000).

Outro exemplo que nos permite analisar e problematizar o *locus* das expressões culturais regionais híbridas é o do sertanejo/country. Nas últimas duas décadas, a chamada música sertaneja tem retomado seu crescimento no mercado da música popular brasileira, enfatizando não só a dualidade campo/cidade, mas também um romantismo que vem contagiando segmentos sociais significativos. Produzida hoje em dia não só por compositores interioranos e em estúdios de avançada tecnologia sonora – contando com a intensa ação da mídia na veiculação deste estilo por todo o território brasileiro –, é possível constatar crescentemente que o universo sertanejo está bem hibridizado com o universo da música country transnacional. Os cantores incluem na sua indumentária, antes dita caipira, elementos peculiares das vestimentas dos cantores da música country americana, assim como danças, instrumentos, além de acrescentar no seu repertório músicas cantadas em inglês ou versões. Tal tem sido a aproximação da música sertaneja com a música country que ela tem sido denominada *Country Music Brasil*: esta é a música sertaneja que o Brasil passou a conhecer nas últimas duas décadas (Nepomuceno, 1999).

Analisando as representações do mundo da música sertaneja, é possível notar que a polêmica gerada pela emergência do country brasileiro traz algumas similaridades com o debate que se produziu na época em que o pagode explodiu no mercado fonográfico e no cenário nacional, reinventando o mundo do samba. Em ambos os universos culturais, por um lado, é possível constatar um movimento de resistência capitaneado pelos tradicionalistas que defendem uma música de raiz e que mitifica "artistas fundadores". No caso da música sertaneja ou caipira, há uma mitificação constante do trabalho de artistas como Alvarenga & Ranchinho, Tonico & Tinoco, Tião Carreiro & Pardinho, entre outros. Por outro lado, há um movimento por parte dos integrantes desse universo que busca a mudança, a inovação dessas tradições musicais, culturais (Nepomuceno, 1999).

No caso do novo sertanejo, ou melhor, do Country Brasil, duplas que mobilizaram um grande público, como Chitãozinho & Xororó, Zezé de Camargo & Luciano ou Gian & Giovani, construíram um novo estilo de música sertaneja que se consolidou no mercado fonográfico a partir dos anos 1980. O repertório produzido por elas é definido por críticos musicais e pesquisadores como "sertanejo pop", "sertanejo romântico" ou "neo-sertanejo". São duplas mais abertas a experiências, à incorporação de estilos e de novos elementos culturais. São artistas populares que vão produzir para um público de massa também suscetível às mudanças, à "modernização" da música sertaneja. O antigo estereótipo do caipira – malvestido, banguela, com chapéu de palha – foi substituído por novas narrativas e "repertórios interpretativos" (Dantas, 1997) que vêm elaborando uma nova imagem muito mais glocalizada. Assim, a música e até os instrumentos vêm sendo alterados: a) as composições, assim como os arranjos, incorporam agora também elementos oriundos da música urbana de massa; b) a viola, por exemplo, foi substituída por instrumentos elétricos como guitarra, contrabaixo elétrico e teclados, além de bateria e, eventualmente, instrumentos de percussão (Biaggio, 2000).

Em *Culturas híbridas*, Canclini (1997) traz algumas pistas que nos permitem avaliar com mais propriedade as dificuldades das expressões culturais glocais em se legitimar em um *pantheon* nacional. Nesse trabalho, o autor enfatiza, por um lado, a necessidade de questionar a crítica tradicional e relativizar a dicotomia entre conservadores e modernizadores, reconhecendo a importância crucial da atualização das tradições e costumes culturais. Por outro, o autor procura novos pressupostos e categorias que permitam entender a complexa dinâmica cultural atual. Nesse sentido, sugere a superação de categorias essencialistas ou estanques, como, por exemplo, nacional, popular, erudito ou de massa, buscando trabalhar com outras que sugerem misturas e deslocamentos, tais como reconversão, transnacionalização e hibridismo.

Em um artigo em que analisam práticas recorrentes de boa parte da crítica e dos setores conservadores, Freire Filho e Herschmann fazem algumas considerações bastante elucidativas do preconceito e dos obstáculos enfrentados pelas expressões musicais não canônicas no Brasil:

> "(...) com a expansão de uma indústria cultural e de um mercado de bens simbólicos nativos, o adjetivo *popularesco* passou a freqüentar mais assiduamente as páginas de crítica musical da grande imprensa e as pesquisas efetuadas por jornalistas e historiadores. (...) Num confronto marcado por ofensas, invejas e ressentimentos mútuos, tínhamos, esquematicamente, de um lado, a pavoneada rejeição dos que possuíam nível de educação formal mais alto às 'emoções baratas' ou 'alienantes' das canções cafonas; do outro lado, a resistência, dentro da órbita da produção e do consumo do *popularesco*, às inquietações políticas e estéticas e autoproclamadas virtudes dos 'artistas de elite', dos 'intelectuais' ou "pseudo-intelectuais". Ambas as partes se amparavam, com exuberante freqüência, no duvidoso argumento da *autenticidade* para legitimar suas posições: os críticos ressaltavam o impulso exclusivamente mercenário de gravadoras e criadores (ou 'criações', 'armações'), contrapondo-o à pureza de intenção dos gêneros 'de raiz' ou à expressão desinteressada ou politicamente empenhada dos 'artistas autênticos'; já os intérpretes humilhados e ofendidos proclamavam sua, digamos, *autenticidade emocional*, contrastando-a com a frieza e a natureza restritamente cerebral de seus algozes – invariavelmente distantes da vivência social e afetiva do povo. (...) A emergência e a expansão de uma cultura de 'origem popular' desenvolvida em moldes distintos daqueles idealizados pelas vanguardas artísticas e intelectuais modernas ocasionaram, ao longo do século XX, debates acalorados no Brasil, especialmente no campo da música. Nota-se, por parte de uma parcela significativa de críticos, historiadores e 'especialistas', um empenho crescente para separar o domínio virtuoso do *popular* do domínio vicioso do *popularesco*" (Freire Filho e Herschmann, 2003: 347-358; ver também Freire Filho, 2001).

A despeito das representações veiculadas pela crítica especializada nos principais jornais, observa-se que, com grande freqüência, as hibridações e as articulações de elementos culturais identificados pelos agentes sociais como regionais e globais – tal como está ocorrendo com o manguebeat, country nacional, samba e funk – vêm permitindo renovar e refundar gêneros musicais, que, em função disso, estão em maior sintonia com as novas tendências e demandas sociais. É possível constatar – nas matérias jornalísticas – que esses gêneros vêm ganhando espaço no imaginário social de diferentes segmentos sociais e no mercado globalizado ávido em consumir novos produtos culturais provenientes de países periféricos.

## A nova música regional em busca de afirmação

A produção cultural regional/local se insere hoje em diversas instâncias de legitimação e apropriação. Estas manifestações artísticas podem tanto receber a bênção nos discursos veiculados pela crítica especializada, entronizando-se no imaginário social como expressões "autóctones" da cultura nacional, quanto ser refutadas e/ou combatidas como subprodutos, estrangeirismos, imitações baratas ou deturpações de conteúdos "legítimos". Os meios de comunicação participam ativamente desta operação de legitimação ou refutação, mas não são as únicas instâncias, visto que o trabalho, a escola, a família, o condomínio, o bairro, o clube ou a instituição religiosa figuram como locais de construção da recepção, tão ou mais relevantes (Martín-Barbero, 1995).

As manifestações culturais que evocam costumes já estabelecidos e foram apropriadas por amplas camadas da população como "legítimas" têm mais chances de canonização. Já o caminho dos produtos culturais híbridos é usualmente mais turbulento, seja pela identificação com estéticas populares, seja pela confrontação com formas "tradicionais". A luta para afirmar autenticidade e conquistar legitimidade como novo gênero local, regional ou nacional é constante.

A escolha da cena de Pernambuco para abordar o comportamento da música regional em tempos de disseminada comunicação multimídia se deve às peculiaridades do estado, pólo de produção cultural na Região

Nordeste e berço de diversas importantes manifestações artísticas ao longo do século XX, algumas das quais com repercussão nacional. Recife também apresentou importantes contribuições intelectuais sobre as questões da identidade nacional e da força das culturas regionais.

Não por acaso, Gilberto Freyre tenha veiculado, na cidade, durante o Primeiro Congresso Brasileiro de Regionalismo, em 1926, seu Manifesto Regionalista, espécie de contraponto ao Movimento Modernista deflagrado em 1922 (Freyre, 1996). Ao longo dos anos seguintes, especialmente no período em que Getulio Vargas ascendeu ao poder, se acirraria o debate acerca da construção de uma identidade nacional, bem como o confronto entre este projeto e as particularidades político-econômicas e culturais de pólos regionais afastados do eixo Rio-São Paulo.

Oliven (2000) lembra que, com a Constituição promulgada em 1937, no chamado Estado Novo, aboliram-se as bandeiras estaduais, com direito a cerimônia em que todas foram incineradas, sendo substituídas pelo pavilhão nacional. "A afirmação de identidades regionais no Brasil pode ser encarada como uma reação a uma homogeneização cultural e como uma forma de salientar diferenças culturais", afirma este autor, para quem, hoje, o conceito de nacional passa pela inclusão dos regionalismos, e não pela eliminação das particularidades.

No mesmo período em que o rádio servia ao projeto de integração nacional nascido sob Getulio, transmitindo de Norte a Sul a trilha sonora da brasilidade (entre elas as composições ufanistas de Ary Barroso, como *Aquarela do Brasil*), pólos regionais buscavam sua afirmação, construindo narrativas culturais próprias. São marcos deste processo a projeção nacional do baião de Luiz Gonzaga e do forró de Jackson do Pandeiro, ambos com carreiras artísticas estabelecidas a partir do Recife (embora o último fosse paraibano).

A capital pernambucana exemplifica a constituição de projetos de afirmação regional, expondo a necessidade de estabelecer condições materiais para tal empreendimento. Décadas após a instalação de gravadoras estrangeiras no Brasil, com atividades concentradas no Rio de Janeiro, Recife também passou a contar com indústria fonográfica: a fábrica de discos Rozenblit, aberta nos anos 1950 pelo comerciante pernambucano de ascendência judaica (da Romênia) José Rozenblit. Apaixonado por música, o empresário abriu uma loja de discos importados na Rua da Aurora (batizada Lojas do Bom Gosto) e, em seguida, montou seu próprio estúdio.

"De 1954 a 1968, a Rozenblit foi uma das mais atuantes gravadoras do país, certamente a mais importante de capital exclusivamente nacional, com filiais no Rio de Janeiro (dirigida por João Araújo, da RGE e Som Livre; Cazuza, filho de Araújo, foi afilhado de José Rozenblit), São Paulo (com Roberto Corte Real) e mais uma no Rio Grande do Sul (com Walter Silva)", conta Teles: "Começando por lançar discos regionais, principalmente de frevo, a Rozenblit foi se expandindo, a ponto de se tornar a pioneira em vários setores da indústria fonográfica: foi a que primeiro, por exemplo, investiu em trilhas de novelas" (Teles 2000:18-20).

Teles destaca também a existência de duas importantes emissoras, a Rádio Clube e a Jornal do Commercio, veículos para manifestações artísticas regionais, especialmente a partir dos anos 1950. É sempre em diálogo com as informações vindas não apenas dos grandes centros urbanos brasileiros, como também do exterior – não por acaso, o bordão da Rádio Jornal do Commercio era "Pernambuco falando para o mundo".

Jacks assinala que a indústria cultural teria papel decisivo na ratificação ou não das manifestações regionais/locais. Assim, o processo de construção das manifestações regionais passava normalmente pela afirmação de elites, abrangendo do erudito ao popular, com a mediação determinante dos meios de comunicação, movidos por sua lógica empresarial e/ou política. "O conceito de indústrias culturais regionais permite refletir a idéia de que a cultura de uma região não expressa apenas o nível da cultura popular, pois também a cultura hegemônica possui características de inserção regional" (Jacks, 1995: 156).

Ou seja, devemos atentar para o fato de que a nova geração recifense surgida nos anos 1990 e ligada, em termos de afinidade cultural, ao manguebeat, não deixa de estar inserida na realidade cultural regional, partilhando um conjunto de referências considerado por eles como locais (o frevo, o coco, o maracatu), mas também nacionais (o samba) e internacionais (o rock, o funk, a música eletrônica, movimentos de vanguarda).

O caráter híbrido do manguebeat evidentemente enfrentou resistências. Houve freqüentes querelas entre os integrantes do movimento e grupos conservadores – como o movimento armorial, que tinha no escritor Ariano Suassuna seu mentor intelectual[5] –, que se punham em defesa das "tradições" locais. Teles lembra que Chico Science & Nação Zumbi foram preteridos, no início de sua carreira nacional, em eventos promovidos com apoio da Secretaria estadual de Cultura, tanto em Recife quanto no exterior[6]. E lembra críticas desfavoráveis publicadas na imprensa local. "Eu particularmente não simpatizo com a música de Chico Science, do ponto de vista musical (*sic*). Eu não faria maracatu da forma que ele faz em *A praieira* (*faixa do primeiro álbum do grupo*). Pra mim, ele faz uma forma meio simplória de maracatu, que perdeu em força e profundidade...", atacou o compositor Armando Neto, em artigo publicado no Suplemento Cultural do *Diário Oficial de Pernambuco*, em 1995.

Mesmo depois do sucesso, as críticas prosseguiam. Suassuna, que defendia a abolição das guitarras elétricas, a exemplo dos puristas que atacaram a Tropicália nos anos 1960, recusava-se em entrevistas a chamar Chico Science pelo nome artístico, traduzindo-o para "Chico Ciência". Certa vez, o então secretário estadual de Cultura avisou ao cantor: "Faça música brasileira, que a gente conversa" (Teles, 2000: 296).

---

[5] O conceito armorial foi definido por Suassuna como uma estética supostamente unificadora da cultura popular nordestina, juntando literatura de cordel, xilogravura e outras manifestações regionais. O movimento teve como marco uma apresentação do Quinteto Armorial e uma exposição de artes plásticas em 1970. Diversos artistas tiveram seus nomes consolidados a partir daí, como Antônio Carlos Nóbrega e Antônio José Madureira.

[6] O autor cita o Projeto Cumplicidades, que, em 1994, levou artistas pernambucanos para apresentações em Portugal. Uma curadora que participou da seleção classificou a música da Nação como "sem harmonia" (Teles, 2000:9-10).

A imprensa do eixo Rio-São Paulo vive à procura de novas tendências culturais, marcos fundadores de movimentos. Elege porta-vozes de novos estilos musicais e os põe sob holofotes até que se esgotem, deixem de ser notícia. Com a turma de Recife, no entanto, a história foi um pouco diferente. Para começar, Chico Science & Nação Zumbi e mundo livre s/a não eram facilmente rotuláveis. Chico e a Nação veicularam, com seu primeiro álbum, *Da lama ao caos* (selo Chaos da Sony Music, 1993), o manifesto "Caranguejos com cérebro", no qual propunham "engendrar um 'circuito energético', capaz de conectar as boas vibrações dos mangues com a rede mundial de circulação de conceitos pop. Imagem-símbolo: uma antena parabólica enfiada na lama".

O mangue recifense era não apenas metáfora de fertilidade, mas também grito de protesto de cunho ambiental. A poluição da "Veneza brasileira" sempre permeou as letras dos artistas. Ainda assim, não havia explicação fácil para o "movimento", cujos integrantes declaravam interesse em "quadrinhos, tevê interativa, antipsiquiatria, Bezerra da Silva, hip hop, midiotia, artismo, música de rua, John Coltrane, acaso, sexo não-virtual, conflitos étnicos e todos os avanços da química aplicada no terreno da alteração e expansão da consciência"[7].

Desde 1991, uma cena musical fermentava em Recife, tendo a Nação e o mundo livre, de Fred Zero Quatro, como expoentes. Zero Quatro é o autor da música-síntese da nova geração, *Manguebit* ("Sou eu um transistor? / Recife é um circuito? / O país é um chip? / Se a terra é um rádio, qual é a música?"), que abre o primeiro disco do grupo, *Samba esquema noise* (co-produção Banguela Records-Warner Music), de 1994. Num equívoco que chega a ser hilariante, o movimento encabeçado por Chico e Zero Quatro foi batizado por um grande jornal de São Paulo como *manguebeat*, ou ritmo do mangue numa

[7] Texto do encarte do primeiro álbum do grupo. O manifesto, escrito por Zero Quatro, foi concebido inicialmente como um *press release* do movimento (expressão depois renegada pelos artistas, que preferem o conceito de "cena") e teve acolhida excepcional em parte da imprensa local, especialmente no Caderno C do *Jornal do Commercio*.

expressão afetadamente americanizada. Outros jornalistas repetiram o erro e o nome acabou pegando.

Mas o que traziam de novo grupos como a Nação e o mundo livre? O primeiro misturava rock, funk, música eletrônica, maracatu, coco, *dub* e muitos outros ritmos, tudo embalado com o sotaque típico do *entertainer* Chico Science (Francisco de Assis França, funcionário público, filho de família de classe média baixa vinda da Zona da Mata pernambucana e radicada em Olinda). Já o segundo mesclava punk, samba (o nome do álbum de estréia foi uma paródia do primeiro LP de Jorge Ben, *Samba esquema novo*), eletrônica, dub, sempre emoldurados pelo cavaquinho de acento rock de Zero Quatro (jornalista, repórter do SBT, criado em bairro de classe média alta em Recife).

As letras também eram inovadoras, ao mesclar crítica social, crônicas do cotidiano de uma geração e afirmação de uma identidade local que não encontrava meios de expressão. Carolina Leão (2002) reconhece, em *Rios, Pontes e Overdrives*, do primeiro álbum da Nação, um diálogo entre a cultura pop e a tradicional atividade econômica dos catadores de caranguejos nos manguezais da Grande Recife, resultando na apropriação (e na revalorização) de elementos distintivos desta cultura local, como o chapéu redondo de palha e as roupas típicas de caboclos de lança do maracatu rural:

> *"Porque no rio tem pato comendo lama / rios, pontes e overdrives / impressionantes esculturas de lama / e a lama come mocambo e no mocambo tem molambo / e o molambo já voou, caiu lá no calçamento bem no sol do meio-dia / o carro passou por cima e o molambo ficou lá"* (...)

Esta autora se pergunta quem "(...) é o 'pato' que come lama senão o próprio homem que cata esses caranguejos para sua sobrevivência? As 'impressionantes esculturas de lama' seriam os próprios catadores de caranguejos; e a lama que come o mocambo, as palafitas que invadem essa região de manguezal, onde ficam precariamente submersas nas águas do principal rio da cidade, o Capibaribe. No mocambo (tipo de habitação precária) existem molambos, pedaços de pano velho, que nesse caso são tomados como o próprio ser humano que, por viver em tais condições, não teria qualquer importância social", identifica esta pesquisadora (Leão, 2002).

Leão (2002) e Teixeira (2002) também apontam o diálogo imaginário entre Chico e o sociólogo Josué de Castro, autor do clássico *Geografia da fome*, na letra de *A cidade*, carro-chefe do primeiro disco da Nação:

> *"O sol queimou, queimou a lama do rio / e eu vi um chié andando devagar / vi um aratu pra lá e pra cá / vi um caranguejo andando pro sul / saiu do mangue, virou gabiru / oh, Josué, eu nunca vi tamanha desgraça / quanto mais miséria tem mais urubu ameaça"*

Mas, talvez, o maior exemplo das representações simbólicas da música feita pela Nação esteja logo na abertura de seu primeiro álbum, *Monólogo ao pé do ouvido*, em que Chico Science canta, acompanhado basicamente de tambores, marcando um ritmo híbrido entre o maracatu e o rock:

> *"Modernizar o passado / É uma evolução musical / Cadê as notas que estavam aqui? / Não preciso delas! / Basta deixar tudo soando bem aos ouvidos / (...) / Viva Zapata / Viva Sandino / Antônio Conselheiro / Todos os Panteras Negras / Lampião, sua imagem e semelhança / Eu tenho certeza / eles também cantaram um dia"*

A esta altura poder-se-ia indagar: como dois grupos de música pop desconhecidos no eixo Rio-SP, de temática tão marcadamente regional, conseguiram gravar discos e romper as barreiras que se colocavam para a música regional até o início dos anos 1990?

A resposta não é simples. A trajetória recente da indústria fonográfica nacional talvez ofereça algumas pistas. Essa indústria se encontrava em relativa crise desde o período da hiperinflação, no fim dos anos

1980, e passou a reduzir suas apostas em artistas nacionais. Evidentemente, essa crise se intensificou a partir da segunda metade da década de 1990, agora em escala mundial. Assim, em razão dessa crise, o garimpo de novos talentos, por exemplo, foi "terceirizado", ficando por conta de selos independentes com os quais eram fechados contratos de distribuição. De um lado, reduzia-se o risco de um fiasco para as grandes corporações. De outro, os artistas ganhavam relativamente mais autonomia para gravar seus trabalhos sem a mão pesada dos produtores, sempre preocupados em obter *hits* – o Chaos era um selo ligado à Sony, enquanto o Banguela era uma pequena gravadora administrada pelo baterista do grupo Titãs, Charles Gavin, integrante do *cast* da Warner.

Nos primeiros dois anos, os grupos ligados ao manguebeat fizeram shows para públicos restritos na Grande Recife, em espaços como o bar Soparia. As primeiras matérias jornalísticas a respeito da Nação Zumbi classificavam o grupo como mais um ligado à "música negra", sem encontrar nuances em seu trabalho. O cenário mudou com a realização, em 1993, do Abril Pro Rock, festival com jovens artistas locais que ganhou repercussão na mídia regional e registros na imprensa do eixo Rio-São Paulo. Na segunda edição, no ano seguinte, a MTV Brasil mandou uma equipe para cobrir o evento, bem como a revista musical *Bizz* (depois *Showbizz*), que enviou o jornalista e produtor Carlos Eduardo Miranda. Estava feita a ponte para tirar o movimento do "gueto".

Nação e mundo livre passaram, então, a se deslocar até o Sudeste, cumprindo agenda de shows em palcos de pequeno e médio portes – incluindo o Circo Voador, no Rio, e o AeroAnta, em SP[8]. Posteriormente, ficariam transitando entre Recife e os grandes centros, para tocar suas carreiras artísticas, mas sempre conservando intacta sua principal característica: o sotaque peculiar, nordestino e contemporâneo.

[8] A primeira viagem de Recife a São Paulo foi feita de ônibus, com 48 horas de duração e com passagens custeadas pela Fundarpe (Fundação de Cultura do Governo Pernambucano). É um sinal de que a nova geração de artistas não encontrou só portas fechadas no poder público (Teles, 2000: 289).

Num primeiro momento, a novidade foi tratada como mais um exotismo pela imprensa das principais capitais brasileiras. Reportagem da *Folha de S.Paulo* pintou um retrato de Chico, Zero Quatro e companhia como um bando de matutos, que pela primeira vez tinham provado *sushi*. Como se não houvesse restaurante japonês em Recife e como se o cantor do mundo livre não tivesse efetivamente morado em São Paulo anos antes (Teles, 2000: 289).

Logo, no entanto, as críticas e reportagens ganhariam consistência, propiciando voz aos artistas saídos do mangue, principalmente Chico Science: "Combinamos o regional com o universal e fazemos uma música antenada", avisava em entrevista a Edmundo Barreiros, do *Jornal do Brasil* (*Caderno B*, 16 de outubro de 1993). O lançamento do primeiro álbum da Nação Zumbi seria saudado como um marco, apesar da estranheza inicial patente nas matérias jornalísticas: "o CD *Da lama ao caos* sacode os ossos encarquilhados do pop brazuca... Nada porém a ver com Tropicália. Chico parte de premissas falsas para chegar a um bom resultado. Quer salvar o folclore, mas o transforma em apetitosa carcaça", afirmava Luís Antônio Giron, da *Folha de S.Paulo*. "No disco, a Nação Zumbi soa realmente mais estranha do que no palco. Mas *Da lama ao caos* é a prova mais convincente de que existem saídas para o rock brasileiro", dizia Antonio Carlos Miguel, de *O Globo* (*apud*: Teles, 2000).

A partir daí, a trajetória da Nação Zumbi praticamente seguiria o *script* das histórias de sucesso da indústria da música: apresentações em grandes palcos, turnês nacionais e internacionais (com direito a show no Central Park, em Nova York, na abertura de Gilberto Gil) e vendas de dezenas de milhares de cópias dos discos – embora o grupo não tenha sido prioridade nos trabalhos de divulgação da gravadora. Em 1996, o nome de Chico Science seria mencionado nada menos que 102 vezes só no *Jornal do Brasil*.

[9] Com cinco percussionistas suingando e um som funk minimalista bem pessoal, Chico Science & Nação Zumbi podem levar a cabo o que apenas um grupo seleto de músicos - incluindo Mr. Gil - pode conseguir: criar algo híbrido capaz de desenvolver um estilo que um dia será reprocessado por outra geração", escreveu o crítico Neil Strauss (Teles, 2000: 296).

Cabe ressaltar que, com o sucesso nacional da Nação Zumbi, dois órgãos estaduais ligados à cultura e ao turismo, a Fundarpe e a Empetur, financiaram as passagens da turnê norte-americana do grupo, que ganhou elogios até no influente jornal *The New York Times*[9].

A morte precoce de Chico, num acidente automobilístico entre Recife e Olinda, em fevereiro de 1997, seria um choque para fãs da Nação e ganharia destaque em toda a grande imprensa nacional, numa operação que levaria, em pouco tempo, à canonização do cantor e à dissipação de todas as críticas desfavoráveis, particularmente as que restavam em âmbito regional.

"Dez mil dão adeus a Chico Science", estampava na primeira página o *Jornal do Brasil*. O então governador Miguel Arraes decretou luto oficial de três dias e compareceu ao funeral. Suassuna também foi e chorou copiosamente diante do caixão. Mestre Salustiano, do tradicional Maracatu Piaba de Ouro, fez homenagem com 12 caboclos de lança, vestidos a caráter (Caderno B do *Jornal do Brasil*, em 4 de fevereiro de 1997: 1).

Embora parte da imprensa tenha levantado dúvidas a respeito da sobrevivência do movimento, em função do desaparecimento de seu expoente máximo, a cena do mangue se consolidaria e as portas permaneceriam abertas. Nação Zumbi e mundo livre s/a continuaram lançando novos álbuns de forma regular ao longo da última década. Além disso, abririam portas para toda uma geração de artistas, como Mestre Ambrósio, Jorge Cabeleira e o Dia em que Seremos Todos Inúteis, Otto (ex-percussionista do mundo livre, cujo disco de estréia, *Samba pra burro*, seria eleito o melhor de 1998 pela Associação de Críticos de São Paulo), Eddie, DJ Dolores, Sheik Tosado, Cascabulho, Comadre Florzinha, Faces do Subúrbio e, mais recentemente, Mombojó, China e Bonsucesso Samba Clube. Todos tiveram acesso à indústria fonográfica e puderam construir carreiras artísticas mais ou menos bem-sucedidas.

Leão lembra que o mangue, de certa forma, passou a integrar o *mainstream* da música pernambucana, por meio de seu evento mais representativo: o carnaval.

> "Em meio a *hits* da axé *music*, (...) onipresentes a cada edição dessa festa popular, o Hino de Pernambuco transforma-se em sucesso entre foliões jovens e veteranos. Os brincantes o cantam através de versões em frevo, forró e 'manguebeat' lançadas em CD pelo Governo do Estado. Naturalmente, o frevo, um dos maiores produtos de exportação da identidade local, se coloca como o destaque dessa releitura dinamizada do Hino. Mas juntamente com ele, o forró e manguebeat se integraram ao repertório do disco como um artigo de consumo e celebração da cultural local. Mesmo que o forró tenha sido a inclusão mais dissonante desse projeto, já que tradicionalmente é contemplado nos festejos juninos, a versão manguebeat é, sobretudo, a mais emblemática" (Leão, 2002).

## Estratégias para garantir visibilidade

Os herdeiros do manguebeat, contudo, encontraram um mercado fonográfico desfigurado e tiveram de seguir caminhos alternativos e inovadores. Um destes grupos, o Mombojó, levou às últimas conseqüências a autonomia na gestão de sua carreira: gravou, por conta própria, o álbum *Nadadenovo* (2004, distribuído pelo selo independente Tratore e vendido também na revista *OutraCoisa*[10]), abrindo todas as faixas na internet. Em seu site, principal interface com o público, que tem acesso também à agenda de shows, notícias e artigos sobre os mais diversos temas, descobrimos que o trabalho do grupo tem apoio do Centro de Estudos e Sistemas Avançados do Recife (Cesar), incubadora instalada no Porto Digital, além de patrocínio da Prefeitura e do Hospital Santa Joana.

Experiências como a do Mombojó são marcas de uma nova produção cultural regional, que supera os limites da discussão corrente nos

---

[10] Publicação que tem o cantor e compositor Lobão entre seus editores e que nasceu justamente como porta-voz da nova geração de artistas preterida pelas gravadoras multinacionais.

anos 1990 entre desterritorialização e reterritorialização. Os artistas desta geração conectada à internet e às redes alternativas de difusão têm raízes sólidas nas culturas de onde provêm, mas ampliam e esgarçam fronteiras ao estabelecer vínculos diretos, por meio digital, com públicos das mais diversas origens. Deste diálogo propiciado pela interatividade e pela maior circulação de trabalhos musicais, emergem novos conteúdos, que *atualizam* as marcas culturais dos regionalismos.

Nesta nova realidade, fragmentada, o que é fazer sucesso como artista pop? A crise na indústria fonográfica agravou-se de forma significativa na segunda metade dos anos 1990. De acordo com dados da Associação Brasileira de Produtores de Discos (ABPD), as vendas totais no Brasil encolheram de R$ 891 milhões, em 2000, para R$ 706 milhões, em 2004. A retração foi acompanhada pelo volume comercializado, que caiu de 94 milhões de unidades para 66 milhões, no mesmo período. O resultado é ainda mais dramático se forem retiradas das contas as vendas de vídeos musicais (estes em franca extinção) e DVDs[11].

O chamado clube do milhão, formado por artistas campeões de vendagens desde os anos 1970, foi gradualmente extinto. O tombo da indústria foi tão forte que até os parâmetros para premiações dos mais vendidos foram revistos para baixo. Até dezembro de 2003, ganhava Disco de Ouro quem tivesse 100 mil cópias vendidas. A partir de 2004, esse patamar foi rebaixado para 50 mil unidades. O mesmo aconteceu com as demais categorias: Platina (de 250 mil para 125 mil), Platina Duplo (500 mil para 250 mil), Platina Triplo (750 mil para 375 mil) e Diamante (1 milhão para 500 mil). Mesmo assim, em 2004, só um CD, *Leonardo canta grandes sucessos*, do cantor sertanejo, vendeu mais de meio milhão de cópias no país.

---

[11] Dados do *Mercado brasileiro de música – 2004* (anuário editado pela ABPD). Os dados referentes a 2005, ainda não consolidados, apontavam resultados ainda piores: projetam um faturamento de R$ 600 milhões, com queda de 8% do mercado legal.

A retração das vendas pode ser explicada por diversos fatores, tais como: o achatamento da renda da população; o crescimento da pirataria (*on* e *off line* que hoje equivale a 52% do mercado nacional de discos, segundo estimativas da ABPD); a expansão da concorrência de outras formas de entretenimento; a perda de valor da música gravada; e a condição periférica da indústria da música nos conglomerados de entretenimento e comunicação que a controlam, entre outros. As perdas para as grandes gravadoras são evidentes e se aprofundam com a mudança de hábitos do consumidor, cada vez mais predisposto a baixar músicas gratuitamente da internet, em vez de desembolsar até R$ 40 por um CD. Um efeito colateral do fenômeno é a ameaça à diversidade cultural. Entre 1997 e 2004, houve queda de 50% na contratação de artistas e na geração de postos de trabalho diretos na indústria (menos 60 mil empregos, da fabricação ao varejo do setor). Os mais afetados foram os artistas nacionais, já que os discos importados permitem maior diluição de custos.

Na outra ponta da indústria, contudo, selos independentes proliferam de norte a sul do país, apostando em vendas segmentadas e novas técnicas de difusão. O surgimento de sites de troca de arquivos musicais na internet constituiu não apenas um desafio para as grandes gravadoras, mas também uma oportunidade para novos artistas garantirem a circulação de seus trabalhos, sem pagamento de "jabás" (propinas) a radialistas (Herschmann e Kischinhevsky, 2005).

Os gigantes do setor lutam contra este intercâmbio entre internautas em todo o mundo. Nos Estados Unidos, um dos principais sites do gênero, o Napster, chegou a ser considerado fora-da-lei pelo Departamento de Justiça. No Brasil, a Associação Protetora dos Direitos Intelectuais Fonográficos (Apdif), ligada à ABPD, notificou em 2004 nada menos que 4.125 administradores de páginas na rede mundial de computadores sobre a oferta considerada ilegal de conteúdo protegido pela legislação de direitos autorais. Do total, 4.113 foram retiradas do ar, mas outras tantas surgem a cada dia, disponibilizando os mesmos arquivos. Rendendo-se às evidências, a indústria ensaia tentativas de lucrar com o *download* de músicas, oferecendo sites de vendas via internet. Só no Brasil, no início de 2006, eram mais de 30 sites oferecendo arquivos musicais a preços entre R$ 1,99 e R$ 2,99 – entre eles, o UOL, com acervo de mais de 200 mil faixas, de uma centena de gravadoras[12].

A rede vem propiciando uma mobilidade inédita para trabalhos musicais, embora de forma pulverizada e caótica. Entretanto, para que uma determinada "cena" (Straw, 2004) – no caso regional – possa ganhar visibilidade, é preciso consolidar um "circuito cultural" (Du Gay, 1997; Du Gay *et al.*, 1997), envolvendo não só as novas técnicas de difusão, como também um roteiro de apresentações em palcos de pequeno e médio portes, além de necessitar legitimar-se através da imprensa e do interesse do público (Herschmann e Kischinhevsky, 2005). Os tradicionais meios de comunicação têm desempenhado importante papel na ratificação das inovações culturais, com suas reportagens muitas vezes reproduzidas nos sites dos artistas independentes, ao lado de botões para *download* de músicas ou até discos inteiros disponibilizados na internet.

Aos poucos, novos artistas começam a explorar todas as potencialidades da rede e das tecnologias digitais e interativas (através de *blogs*, *chats*, portais com notícias exclusivas, *download* pago ou gratuito de músicas, agenda de shows, rádio digital, etc.) e das redes alternativas de distribuição. Na cena recifense, a consolidação do Abril Pro Rock como um grande festival, com a apresentação de artistas de renome, nacionais e estrangeiros, também foi fator decisivo para a dinamização do circuito local. Para se ter idéia do gigantismo assumido pela festa e de sua integração ao mercado, a edição 2005 teve patrocínio da operadora de telefonia móvel Claro (que promoveu prévias em todo o país para selecionar artistas iniciantes), de outras grandes em-

[12] Outra estratégia da indústria para recuperar a rentabilidade perdida é o *ringtone*, toque musical de telefone celular, filão que, pelas contas das grandes gravadoras, deverá responder por R$ 100 milhões anuais. Ver Paula Ganem, "Em busca da reinvenção – Gravadoras buscam nichos de mercado para crescer e evitar perdas financeiras", reportagem publicada no *Jornal do Brasil*, em 24 de abril de 2006.

presas, como Ambev e Motorola, e dos governos estadual e federal (por meio do Ministério da Saúde).

## Considerações finais

A nova música híbrida regional, apesar das resistências oferecidas por parte da crítica especializada, decididamente tornou-se um negócio rentável da indústria cultural. Apesar disso, restam diversas questões: qual é a visibilidade das novas manifestações artísticas locais, em tempos de comunicação pulverizada e de crise da indústria fonográfica? Qual o potencial de exploração das novas tecnologias da comunicação e da informação, sem que a pulverização se acentue? Como aferir a eficácia destas estratégias de inserção sociocultural, a partir da produção de conteúdos híbridos? Ainda não está claro que modelo emergirá nos próximos anos e de que forma as inovações musicais serão veiculadas. Fenômenos culturais podem ganhar celeridade e efemeridade, obtendo menos ou mais impacto, à medida que a indústria se reordene.

De qualquer forma, a experiência do manguebeat de Recife revela alguns dos novos mecanismos de atuação no campo da cultura, dando pistas sobre a construção e a dinamização de uma cena local, na qual é possível atestar que o *movimento mangue* vem operando como uma espécie de guarda-chuva, sob o qual ganham abrigo artistas com trabalhos focados desde o forró até o rap, passando pelo funk, pela eletrônica, pelo rock e pelos mais diversos ritmos regionais.

Neste sentido, o manguebeat constitui estratégia bem-sucedida de afirmação de identidades híbridas de caráter regional, contrapondo-se e eventualmente conciliando-se com tradições estabelecidas ao longo de décadas anteriores. A *geração do mangue* "bebe das fontes" de manifestações culturais de grande penetração popular, deslocando seus sentidos e engendrando novos conteúdos, novas representações, em diálogo constante com os grandes centros urbanos, nacionais e internacionais.

Outras cenas regionais podem evoluir por caminhos similares, à medida que ofereçam condições estruturais – circuito de palcos de pequeno e médio portes, para apresentação de novos artistas; espaço na mídia (especialmente a impressa, que é um instrumento mais tradicional de legitimação, que divide cada vez mais as atenções com as novas tecnologias da comunicação e informação); apoio de instituições públicas ligadas à cultura (viabilizando, em maior ou menor grau, sua exposição); e, naturalmente, pelo menos para um grupo ou artista que apresente discurso/forma inovadores e que abra caminho para os demais.

Diante da crescente instantaneidade da comunicação e das estratégias das indústrias culturais, que vêm centrando esforços em artistas com maior potencial de vendas, a afirmação de manifestações regionais é chave para a constituição de um novo parâmetro para elaboração de políticas culturais mais eqüitativas. Políticas culturais em que a diversidade cultural seja não objeto de campanhas preservacionistas, mas uma realidade dinâmica, rica em hibridismos e novos discursos, e em que a racionalidade econômica não seja o principal instrumento de aferição da legitimidade artística.

## Referências bibliográficas

ANDERSON, Benedict. *Imagined communities*. Londres: Verso, 1983

APPADURAI, Arjun. Disjuncture and difference in the global culture economy. *In*: FEATHERSTONE, Mike (org.). *Global culture*: nationalism, globalization and modernity. Londres: Sage, 1991.

BELTRÁN, Luis Ramiro; CARDONA, Elizabeth Fox. *Comunicação dominada*: os Estados Unidos e os meios de comunicação da América Latina. Rio de Janeiro: Ed. Paz e Terra, 1982.

BHABHA, Homi K. *O local da cultura*. Belo Horizonte: Ed. UFMG, 2003.

BIAGGIO, Bacarin. *Enciclopédia da música brasileira – sertaneja*. São Paulo: Ed. Publifolha, 2000.

BOURDIEU, Pierre. *Distinction*: a social critique of judgemente of taste. Londres: Routledge & Kegan Paul, 1984.

CANCLINI, Néstor Garcia. *Culturas híbridas*. Estratégias para entrar e sair da modernidade. São Paulo: Edusp, 1997.

CHARTIER, Roger. *A história cultural.* Entre práticas e representações. Lisboa: Difel,1990.

DANTAS, Benedito M. Das representações aos repertórios. *In*: O masculino na mídia. Repertórios sobre a masculinidade televisiva. São Paulo, Mestrado em Psicologia Social/ PUC-SP, 1997.

DU GAY, Paul (org.) *Production of culture, culture of production.* Londres: Sage, 1997.

DU GAY, Paul; HALL, Stuart; JANES, L.; NEGUS, Keith (orgs.). *Doing cultural studies*: the story of the Sony Walkman. Londres: Sage, 1997.

FABBRI, Franco. A theory of musical genres: two applications. *In*: HORN, D.; TAGG, P. (eds.). *Popular music perspectives.* Gotemborg/Exeter, IASPM, 1981.

FEATHERSTONE, Mike (org.). *Global culture*: nationalism, globalization and modernity. Londres: Sage, 1991.

FREIRE FILHO, João. A elite ilustrada e os "clamores anônimos da barbárie": gosto popular e polêmicas culturais no Brasil moderno. Tese de doutoramento em Literatura Brasileira. Departamento de Letras da PUC-Rio (mimeo), 2001.

FREIRE FILHO, João; HERSCHMANN, Micael. Debatable tastes! Rethinking hierarchical distinctions in Brazilian music. *Journal of Latin American Cultural Studies*, vol. 12, no. 3, pp. 347-358, 2003.

FREYRE, Gilberto. *Manifesto Regionalista.* 7ª ed., Recife: Fundaj/Ed. Massangana, 1996.

FRITH, Simon. *Sound effects. Youth, leisure and politics of rock'n roll.* Nova York: Patheon, 1981.

GEERTZ, Clifford. *A interpretação das culturas.* Rio de Janeiro: Zahar Editores, 1978.

HALL, Stuart. *Identidades culturais na pós-modernidade.* Rio de Janeiro: DP&A Editora, 1997.

HEBDIGE, Dick. *Subculture. The meaning of style.* Londres: Methuen, 1979.

HERSCHMANN, Micael (org.). *Abalando os anos 90 – funk e hip-hop.* Globalização, violência e estilo cultural. Rio de Janeiro: Rocco, 1997.

HERSCHMANN, Micael. *O funk e o hip-hop invadem a cena.* Rio de Janeiro: Ed. UFRJ, 2000.

HERSCHMANN, Micael; KISCHINHEVSKY. A indústria da música – uma crise anunciada. *Anais da Intercom 2005*. Rio de Janeiro: UERJ, 2005.

HOBSBAWM, Eric; RANGER, Terence. *A invenção das tradições*. Rio de Janeiro: Ed. Paz e Terra, 1984.

HUYSSEN, Andreas. *After the great divide*. Modernism, mass culture and post modernism. Indianápolis: Indiana University Press, 1987.

IANNI, Otavio. Nação: província global?. *In*: SANTOS, Milton; SILVEIRA, Maria Laura (orgs.). *Brasil: território e sociedade no início do século XXI*. Rio de Janeiro: Record, 2001.

LEÃO, Carolina. A maravilha mutante: Batuque, sampler e pop na música pernambucana dos anos 90, Recife: Dissertação de mestrado apresentada no Programa de Pós-Graduação em Comunicação da Universidade Federal de Pernambuco (mimeo), 2002.

JACKS, Nilda. Pesquisa de recepção e cultura regional. *In*: SOUZA, Mauro Wilton (org.). *Sujeito, o lado oculto do receptor*. São Paulo: Brasiliense.

MARTÍN-BARBERO, Jesus. Etnografia da audiência: uma discussão metodológica. *In*: SOUZA, Mauro Wilton. (org.). *Sujeito, o lado oculto do receptor*. São Paulo: Brasiliense, 1995.

NEPOMUCENO, Rosa. *Musica caipira: da roça ao rodeio*. São Paulo: Ed. 34, 1999.

ORLANDI, Eni P. *Discurso fundador*. A formação do país e a construção da identidade nacional. Campinas: Pontes, 1993.

OLIVEN, Ruben. Nação e região na identidade brasileira. *In*: ZARUR, George de Cerqueira Leite (org.). *Região e nação na América Latina*. Brasília: Ed. UnB, pp. 77-80, 2000.

ORTIZ, Renato. *Mundialização da cultura,* São Paulo: Brasiliense, 1994.

PEREIRA, Carlos Alberto M. Reinventando a tradição. O mundo do samba carioca: o movimento de pagode e o bloco Cacique de Ramos. Rio de Janeiro, Doutorado da Escola de Comunicação/UFRJ (mimeo), 1995.

RIBEIRO, Ana Paula G. Mídia e o lugar da história. *In*: HERSCHMANN, Micael; PEREIRA, Carlos A. Messeder (orgs.). *Mídia, Memória & Celebridades*. 2ª ed., Rio de Janeiro: Ed. E-Papers, 2005.

ROBERTSON, Roland. *Globalização: Teoria social e cultura global*. Petrópolis: Ed. Vozes, 1999.

STRAW, Will. Systems of Articulation, Logics of Change: Scenes and Communities in Popular Music. *In*: FRITH, Simon (ed.). *Popular Music*: Critical Concepts in Media and Cultural Studies, pp. 268-288. London: Routledge, 2004.

TEIXEIRA, Paulo. Um passo a frente e você não está no mesmo lugar – a geração mangue e a (re)construção de uma identidade regional. Recife: Dissertação de mestrado em Ciência Política defendida na UFPE (mimeo), 2002.

TELES, José. *Do frevo ao manguebeat*. São Paulo: Ed. 34, 2000.

VIANNA, Hermano. *O mundo funk carioca*. Rio de Janeiro: Jorge Zahar Ed., 1988.

WERTHEIN, Jorge (org.). *Meios de comunicação*: *realidade e mito*. São Paulo: Ed. Nacional, 1979.

# Mídia, ciência e tecnologia: representações, discursos e tensões

*Ieda Tucherman*[1]

> O espetáculo seria, assim, a forma atual do especulativo. Eis uma sobrevivência paradoxal. No mínimo o especular sobrevive numa palavra, que o contém.
>
> *José Bragança de Miranda*

## Apresentação

Quem anda pela cidade do Rio de Janeiro, e imagino que isto também se veja em outros grandes centros do Brasil, encontra, de algum tempo para cá, uma novidade no chamado mobiliário urbano: são as novas bancas de jornal, na verdade bancas de revistas sofisticadas, climatizadas e extremamente atraentes, com suas muitas e coloridas capas convidando-nos para uma olhadela seguida, sempre que possível, de alguma aquisição. Sem desfazer das bancas tradicionais, esta novidade chama mesmo a atenção.

Além dos veículos estrangeiros, tais como *Clarin*, *Times*, *Le Monde* e outros jornais que exibem o cosmopolitismo e a globalização nas suas vitrines, e de curiosidades como a revista *Hola*, a *Caras* da realeza

[1] Professora do Programa de Pós-graduação em comunicação da ECO/UFRJ.

espanhola (que custa 70 reais!!), vemos uma infinidade de revistas brasileiras cobrindo um campo enorme de interesses; além dos tradicionais temas de culinária, fofocas, decoração, boa forma e tais, temos, numa lista de memória: *Bravo* e *Continente*, como revistas culturais, algumas revistas sobre informática, algumas dedicadas a História, sendo uma de responsabilidade da Biblioteca Nacional, revistas sobre literatura como a *Entre Livros*, e pelo menos quatro títulos importantes ligados à chamada divulgação científica, ou, se quisermos, à representação pública da ciência e da tecnologia. São elas: *Ciência Hoje* (SBPC), *Galileu* (Editora Globo), *Superinteressante* (Editora Abril) e *American Science* (edição brasileira).

Certamente isto indica uma customização do consumo, uma segmentarização de públicos e interesses e uma aproximação com o efeito *zapping*, que define um padrão de atenção flutuante e não cativa, sempre atrás de novidades. Não é por acaso que tais revistas são contemporâneas, se não da realidade, pelo menos da mentalidade da TV a cabo, encontrando paralelos em canais como National Geographic, Discovery Channel, Discovery Health, Animal Planet e Discovery Child, e antecipando a utopia das mídias digitais, "eu-cêntricas",nos quais *"o que importa é que tragam o conteúdo que eu quero, quando eu quero, no formato que eu quero"*, segundo a terminologia eufórica de seus difusores.

Indicam também, e este é o aspecto que este artigo pretende privilegiar na reflexão sobre a presença de algumas revistas científicas especializadas, a oportunidade e a forma de mediação por elas operadas das descobertas, elaborações, conquistas, promessas e projetos das ciências da vida e da biotecnologia.

Trataremos, portanto, da representação pública das ciências e das tecnologias pensando na maneira como percebemos a construção, iniciada na década de 1980 e reforçada nos anos 1990, de um conjunto de ligações e alianças que dão sustentação e força aos fios interligados: a mídia ganha prestígio e dimensão de seriedade e de contemporaneidade, já que a ciência é, na nossa tradição cultural, o modelo do conhecimento verdadeiro e a tecnologia é a manifestação da sua eficácia; por outro lado, a ciência e a tecnologia ganham a divulgação necessária para conservarem seus lugares de prestígio político e cultural e justificarem suas demandas de investimento.

## Breve histórico e contextualização

Há uma estreita relação entre o conhecimento e a discussão sobre a ciência e o advento da imprensa: os historiadores afirmam que a divulgação da ciência teve início a partir da impressão, o que acelerou a formação de uma comunidade científica na Europa já no século XVII.

Sem nos estendermos no percurso histórico, não podemos conceber o Iluminismo sem o universo livresco e sem as correspondências em que os filósofos e cientistas comentavam e divulgavam suas idéias e conceitos (tais como as de Descartes, Voltaire e tantos outros). Também não poderíamos desconhecer que esta experiência cultural privilegiava a figura do intérprete encarnada no filósofo e secundada pela figura do professor responsável pela educação e formação das mentes.

Um saboroso exemplo aparece neste comentário:

> "Comenta-se à boca pequena na Europa cristã que os ingleses são loucos ou maníacos: loucos porque dão varíola para seus filhos para impedir que eles a contraiam, e maníacos porque, alegremente, transmitem a seus filhos uma doença certa e terrível, no intuito de prevenir uma enfermidade incerta. Os ingleses, por seu lado, dizem: 'Os outros europeus são covardes e desnaturados: covardes na medida em que têm medo de infringir uma dor pequena a seus filhos, e desnaturados porque os expõem à morte por varíola em algum momento do futuro.' Para avaliar quem está com a razão nessa disputa, eis a história desta célebre inoculação da qual se fala com tanto horror fora da Inglaterra."

Quem assina este texto é Voltaire nas suas *Cartas Filosóficas*, no final de 1720.[2]

O mesmo Voltaire, um dos filósofos Iluministas mais destacados, assistiu estarrecido ao funeral de Newton, um humilde cientista nas suas próprias palavras, enterrado com os reis e como um deles na abadia de Westminster. E seu entusiasmo foi além, já que elaborou exposições excelentes sobre as teorias da ótica e da gravitação apontando o que havia de ousado e inovador no que Newton dizia.

É curioso pensar que nos séculos XVII e XVIII a informação era descrita como inteligência, e educação era instrução; vale lembrar que o verbo informar, derivado do latim, originalmente indicava não apenas relatar os fatos, como também "formar a mente". Podemos deduzir assim que a importância da informação já era apreciada em círculos políticos e científicos do século XVII.

Michel Serres, um dos filósofos mais atuantes na análise das relações entre ciência, pensamento e sociedade, comenta que é importante perceber que a ciência "inventa as condições da invenção", estabelecendo o pano de fundo hegemônico para o pensamento de uma época. Considera também que, desde o Iluminismo, a ciência tem arregimentado os mais argutos elementos intelectuais e os mais eficazes meios técnicos e financeiros, aumentando desta maneira seu terreno e sua influência (Serres, 1992). Seria o início de um processo que poderíamos chamar de cientificização da cultura.

Ele nos convida a pensar que, na verdade, e contra a mitologia que circula nos meios ditos leigos, a qualidade de referência de uma ciência não vem de um salto mortal para fora da sociedade, do rompimento com as convenções ou das conexões, mas da segurança das referências circulantes, da extensão das mudanças que estão em jogo, do número de interlocutores que atrai, da habilidade de seus difusores de convencer os

---

[2] Citação apresentada por Ian McEwan, *As portas da compreensão*, caderno Mais, 23 de abril de 2006, *Folha de S. Paulo*.

outros. São as alianças necessárias de que nos fala Bruno Latour (2001) que se traduzem no empenho de deixar o público interessado. Como nos lembra em um de seus textos: "Sem colegas e sem um mundo um pesquisador custaria pouco e não valeria nada" (Latour 2001: 117).

A importância da informação foi ressaltada na sociedade industrial e comercial do século XIX, quando as noções de velocidade e distância sofreram modificações, que podemos chamar de compressões, que redimensionaram na mesma medida a própria textualidade das mensagens. No mesmo movimento, a associação entre ciência, indústria e organização, que configura o universo da tecnologia, estabeleceu uma relação imediata entre a cientificização da cultura, a tecnologização do seu território e a idéia de progresso material, individual e coletivo. De maneira evidente, a ciência é e faz valor.

Indo ainda além: desde o século XIX vida e morte deixaram de ser regidas por códigos morais: são, a partir de então, domínio do conhecimento científico. O que nos permite associar ciência e poder, da maneira quase escandalosa como foi demonstrado; Hiroshima foi a demonstração cabal, a partir da fissão nuclear, da capacidade da ciência via sua filha dileta, a tecnologia, de promover a destruição absoluta da vida; em compensação, o discurso da genética proclama sua capacidade de criar, transformar e moldar a vida.

## O caso brasileiro

Segundo os estudiosos[3], a divulgação científica no Brasil, apesar de sua fragilidade, tem dois séculos de história. Seu marco inaugural teria sido a vinda da corte portuguesa para o Brasil em 1808 e a conseqüente abertura dos portos, a criação da Imprensa Régia, que passou a publicar textos ligados à educação científica, e o surgimento das primeiras instituições de ensino superior ligadas à ciência e à técnica, tais como a Academia Real Militar e o Museu Nacional.

---

[3] Refiro-me aos pesquisadores da Casa da Ciência da UFRJ, em especial aos professores Ildeu de Castro Moreira e Luisa Massarani.

Neste período, como atestam os exemplares disponíveis na Biblioteca Nacional, os jornais que surgiram, a saber, *A Gazeta do Rio de Janeiro, O Patriota* e o *Correio Brasiliense* (editado na Inglaterra) publicaram artigos sobre as descobertas científicas.

Seguindo este panorama muito acelerado, a segunda metade do século XIX viveu a intensificação do interesse na ciência e em sua divulgação como resultado imediato da Revolução Industrial inglesa. A aposta na relação estreita entre progresso e conhecimento científico e técnico foi demonstrada, poderíamos dizer celebrada, nas Exposições Universais, das quais a de Londres de 1851 foi a primeira, e nas quais, desde 1862, o Brasil teve presença.

Não se pode realmente dizer que havia pesquisa científica organizada no país, salvo algumas poucas iniciativas particulares. Este desenho sofrerá alguma modificação a partir do interesse em associar as ciências à indústria e devido ao próprio temperamento de D. Pedro II, um imperador interessado no conhecimento, na experiência e na divulgação da ciência. Surge então um número importante de periódicos consagrados ao tema, no período de 1860 a 1880, tais como a *Revista Brazileira-jornal de Sciencias, Letras e Artes* (1857); a *Revista do Rio de Janeiro* (1876) e a *Ciência para o Povo* (1881), esta última, em particular, dedicada a matérias de ciência e comportamento. Além disto, depois de 1874, com a ligação telegráfica do Brasil com a Europa, por meio de cabo submarino, os jornais começam a receber e divulgar notícias mais atualizadas em todos os campos, incluindo-se, é claro, o das novas teorias e descobertas científicas.

Numa avaliação de conjunto, os estudiosos da divulgação científica no Brasil destacam duas características gerais do período: para começar, os divulgadores são homens ligados à ciência por sua prática profissional, como médicos, engenheiros e professores, ou por suas atividades, como naturalistas, lembrando que nesta época, por conta destes estudos, passaram pelo Brasil figuras de destaque como Darwin, por exemplo, assim como alguns se fixaram aqui, tais como Peter Lund e Fritz Muller.

Para a nossa área, a comunicação, o efeito do telégrafo é relevante, sobretudo quando a ele acrescentamos o uso de outros meios de comunicação que virão intervir neste panorama, dos quais o primeiro foi a Rádio Sociedade do Rio de Janeiro, fundada em 20 de abril de 1923, dentro dos salões da Academia Brasileira de Ciências (ABC), cuja aparição datava de 1916. Sua primeira transmissão aconteceu em maio e da sua criação participaram cientistas e intelectuais que se uniram para implantar este novo veículo cujo objetivo era a difusão de informações e temas educacionais, culturais e científicos.

Sua programação era variada: além da música e dos informativos, oferecia cursos (inglês, francês, história do Brasil, literatura portuguesa, literatura francesa, telegrafia e radiotelefonia), assim como palestras de divulgação científica. Um fato curioso ilustra sua relevância: em sua visita ao Brasil, em 1925, Einstein fez uma comunicação em alemão, traduzida em seqüência para o português, nesta mesma Rádio Sociedade, comentando exatamente a importância do rádio como nova presença no universo da divulgação científica.

> "Após minha visita a esta sociedade, não posso deixar de, mais vez, admirar os esplêndidos resultados a que chegaram a ciência aliada à técnica, permitindo aos que vivem isolados os melhores frutos da civilização (...) Na cultura levada pela radiotelefonia, desde que sejam pessoas qualificadas as que se encarreguem da divulgação, quem ouve recebe, além de uma escolha judiciosa, opiniões pessoais e comentários que aplainam os caminhos e facilitam a compreensão. Essa é a grande obra da Rádio Sociedade" (Massarani, Moreira, Brito, 2006: 53).

É bom lembrar que Einstein foi e continuou sendo uma figura simbólica no universo da relação entre a ciência mais sofisticada e o mundo sociopolítico: foi a primeira celebridade internacional do campo mais "duro" da cultura cuja imagem foi tratada como a de um personagem *pop*. Sua célebre fotografia com a língua de fora, familiar em todos os cantos do planeta, fala desta penetração que exerceu no imaginário popular. Acredito mesmo, apesar da ousadia de tal afirmação, que esta maneira de encarnar uma celebridade sendo um cientista de prestígio fez muito para tornar laboratórios e universidades lugares desejados tanto pelo saber quanto pelo prestígio social que conferiam.

Quanto ao uso do rádio, este despertou uma enorme expectativa sobre a capacidade dos novos meios de comunicação de conseguirem democratizar a distribuição dos conhecimentos, contribuindo para a superação da desigualdade de oportunidades de formação, ainda mais graves num país de dimensões continentais como o Brasil. Podemos dizer que da mesma forma como nos nossos dias a Internet desperta entusiasmo e incentiva pesquisas no campo da educação a distância, o rádio recebeu um depósito de otimismo sobre os resultados esperáveis de seu emprego na difusão da cultura e da ciência; a transmissão era fácil, rápida, atingia os cantos mais distantes dos países e podia atuar mesmo sobre os analfabetos. Estatísticas indicam que cerca de 30.000 residências tinham rádio e aproximadamente 150.000 pessoas ouviam diariamente a *Rádio Sociedade* (Massarani, Moreira, Brito, 2006: 54), cujo secretário, Roquette-Pinto, foi um dos grandes incentivadores da radiodifusão, deixando livros e textos sobre o assunto.

No decorrer da década de 1920, revistas, livros voltados para a divulgação científica, conferências públicas, concorridas e prestigiadas, buscavam atrair o público e sensibilizar, direta ou indiretamente, o poder público, incentivando tanto a criação e manutenção de instituições ligadas à pesquisa quanto uma valorização social ampliada da própria atividade de pesquisa. Apesar dos esforços, ainda se percebia um caráter fragmentário e episódico, provavelmente relacionado com a própria fragilidade do meio científico da época.

No período de 1930 a 1970, as transformações mais importantes tiveram a ver mais diretamente com a criação de faculdades e dos primeiros institutos de pesquisa, como o CBPF (Centro Brasileiro de Pesquisas Físicas) e o IMPA (Instituto de Matemática Pura e Aplicada) em 1952. Em 1951 surge a primeira agência pública de fomento à pesquisa, o Conselho Nacional de Pesquisa (CNPq), ou seja, ocorre a institucionalização do campo.

Enquanto atividade de divulgação, o dado mais interessante foi a criação do *Instituto Nacional do Cinema Educativo*, criado e dirigido pelo mesmo Roquette-Pinto e que, entre os anos 1930 e 1960, produziu mais de uma centena de filmes curtos, cuja duração média era de 3 minutos, voltados para a educação em ciências, para a difusão de informações científicas ou para a apresentação das principais instituições científicas no país. Sabemos que alguns cientistas, entre eles o biofísico Carlos Chagas Filho, participaram ativamente na realização desses curtas-metragens educativos que tiveram, quase todos, a direção competente de Humberto Mauro, um dos nomes mais celebrados da história do cinema brasileiro.

Como no período anterior, o novo suporte, agora a película e a imagem, e a nova forma de distribuição fizeram com que os produtores, entusiasmados, falassem de uma redenção da educação nacional (esta foi uma época marcada pelo nacionalismo) apresentando o cinema como o novo meio de democratização social e fortalecimento da unidade nacional.

Os anos 1940 e 1950 serão marcados principalmente por duas figuras que deram contornos particulares à divulgação científica. O primeiro, nos anos 1940, foi o médico, microbiologista, economista e escritor José Reis, professor da Universidade de São Paulo e um dos pioneiros do jornalismo científico no país. Foi o criador e durante anos o responsável pela sessão dominical "Mundo da Ciência", publicada na *Folha da Manhã*; também colaborou com a sessão "Ciência de 30 dias" na revista *Anhembi* de 1955 a 1962. Escreveu livros para crianças e adolescentes, fez programas de rádio voltados para a ciência e manteve, até a sua morte, todos os domingos, uma coluna dedicada à ciência na *Folha de S. Paulo*. Foi também um dos fundadores em 1948 da SBPC (Sociedade Brasileira para o Progresso da Ciência), que acabou por se tornar a principal entidade a promover eventos e publicações de divulgação científica.

No início dos anos 1950 a personalidade que desponta é o cientista César Lattes, que participou da descoberta e identificação do méson pi, cuja repercussão, aliada às discussões derivadas sobre o uso civil e militar da energia atômica, pautou os veículos da época. Revistas como *O Cruzeiro* e *Manchete* dedicaram-se ao tema e à descoberta e, para medirmos o prestígio popular de César Lattes, nada melhor do que lembrar que esteve presente na letra do samba-enredo Ciência e Arte, composto por Cartola e Carlos Cachaça, que homenageava o físico e o pintor Pedro Américo e com o qual a Estação Primeira de Mangueira obteve o segundo lugar no desfile de 1948. Na época, contam os entendidos, a Portela era imbatível. Como se diz por aqui: virou letra de samba, está consagrado no coração do povo.

Os anos 1960 foram contrastantes: no início da década vivemos um movimento educacional renovador, escorado principalmente no estudo das ciências. Mas o golpe militar de 1964 chegou, trazendo profundos constrangimentos na vida social, educacional e científica do país, apagando o brilho do início da década.

Nas últimas décadas, o país assistiu a uma complexificação nas atividades de divulgação científica, mesmo considerando que está longe de ter uma atividade ampla, criativa, constante e de qualidade neste domínio. A distribuição dos papéis entre o cientista e o jornalista científico, a escolha de repertório, a avaliação da diferença entre a ciência e a sua pesquisa, a acentuação da diferença de temporalidade entre a instantaneidade da mídia e a maturação da ciência passam a ser problematizadas, como desenvolveremos adiante.

Para completar este panorama histórico, talvez o primeiro dado de destaque, coerente com o que já vimos no percurso, foi a complementaridade ou sincronia, nos anos 1980, entre as páginas de jornal diárias de sessões de divulgação da ciência e as primeiras tentativas de se produzir para televisão programas voltados para a ciência, começando por "Nossa Ciência", criado em 1979 e transmitido pela rede governamental de educação, que foi interrompido depois de dez transmissões; e o "Globo Ciência", que está no ar desde 1984 com curiosas características, já que inovou na medida em que introduziu um formato jornalístico mas não conseguiu, segundo os especialistas, se firmar como um programa de qualidade na divulgação científica, o que se verifica também pela variação da audiência e a mudança periódica de formas e objetivos.

Acrescentaríamos agora, neste nosso histórico, uma observação que nos parece interessante e que, especificamente em relação à televisão, parece fazer bastante sentido. Estamos pensando num conjunto de misturas, hibridações ou contaminações que começam a se fazer notar em programas que não têm a vocação da divulgação científica como objetivo, entre os quais alguns temas escolhidos para a pauta do "Globo Repórter", alguns quadros no "Fantástico (O show da vida)", e mesmo algumas matérias nos telejornais diários que focam as descobertas da ciência, algumas de suas pesquisas, seus temas mais instigantes, tais como clonagens, transplantes, etc., e que parecem comparecer para mostrar a absoluta atualidade do veículo televisivo, sua agilidade, sua compreensão do presente. No entanto, e por conta da característica do próprio meio de ser uma composição de informação e entretenimento, o peso das notícias fica aligeirado, sem análises mais contundentes, criando uma espécie de novo conjunto de "*faits divers*" que festeja, quase sempre com tom teatralmente eufórico, os pressupostos resultados das pesquisas científicas e tecnológicas.

De outro lado, em 1982 aparece no Rio de Janeiro a revista *Ciência Hoje*, editada pela SBPC com o objetivo de divulgar especialmente a ciência produzida no Brasil, o "estado da arte" das suas pesquisas, e com a intenção explícita de aproximar a comunidade científica brasileira do público leigo e interessado. Posteriormente ganhou uma versão eletrônica, embora tenha perdido parte do seu público leitor (no auge chegou a vender 70.000 exemplares, hoje tem como média 13.000). Caminho semelhante teve o *Jornal da Ciência*, que na mesma década de 80 começou como informativo quinzenal e ganhou há pouco um informativo diário na internet que tem bastante repercussão no meio científico.

Seguindo os passos de *Ciência Hoje* e no caminho do que chamamos de segmentação de consumo, surgiram outras revistas, agora ligadas a empresas privadas, tais como *Globo Ciência* (hoje *Galileu*) e *Superinteressante*, da Editora Abril. Com pequenas diferenças de tratamento têm enfoques bem específicos sobre o que é divulgação científica no Brasil, apresentando quase sempre artigos e notas mais acessíveis ao público em geral, mas com muito menor preocupação, tanto em relação à qualidade da própria matéria quanto com a dimensão crítica da ciência. Recentemente, juntou-se a elas a versão brasileira da *Scientific American*. São vendidas em bancas em todo o país e têm milhares de leitores.

Seguindo a tendência e a necessidade de mostrarem-se sempre contemporâneos, os grandes jornais criaram seções de ciência, o que não pareceu gerar um desenvolvimento do jornalismo científico na mesma proporção; para começar, parte dos artigos sobre ciência que são publicados é formada por traduções ou textos comprados em revistas do exterior; depois, ainda parecem ser caudatários de uma visão mística da ciência e da atividade científica, apresentada a partir de aspectos espetaculares e da performance genial de determinados cientistas.

Também as revistas informativas gerais, das quais *Veja* é um dos emblemas, têm apresentado, além das sessões especialmente criadas de ciência e tecnologia, várias reportagens que incluem a própria apresentação na capa (tivemos quase 30% de capas entre 2004 e 2005 ligadas às questões do corpo, saúde, estética, genética, obesidade, anorexia, exercícios etc.), o que aparentemente indicaria uma preocupação de informar aos leitores o que se está pesquisando e fazendo nas ciências ligadas ao tema.

No entanto, mesmo a apresentação das aplicações imediatas da ciência parece ser mal contemplada, tendo uma natureza superficial e generalista; questões como incertezas, riscos, controvérsias e conseqüências raramente são discutidas, o que dificulta a produção de uma visão realista sobre a ciência.

Para os estudiosos da divulgação científica, o modelo de abordagem que ainda seguimos no Brasil é o denominado "modelo do déficit" que, explicado de maneira simplificada, supõe que a população é formada por um conjunto de ignorantes, analfabetos em ciência, pouco capazes de articulações mais sofisticadas, que devem receber apenas o conteúdo empobrecido de um conhecimento descontextualizado e reduzido. Aspectos polêmicos, assim como a apresentação das interfaces entre ciência e cultura, muito raramente aparecem, o que classifica como muito primário o nosso modelo de divulgação científica.

## Pensando o quadro epistemológico

Precisamos lembrar, se quisermos compreender a sutileza do cruzamento de papéis e discursos que compõem o quadro das relações entre ciência e opinião pública, algumas distinções que falam de temporalidades e posturas diferentes.

Então vejamos: se a ciência possui certeza, frieza, distanciamento, objetividade, isenção e necessidade, a pesquisa tem características opostas, ou seja, é incerta, aberta, vive às voltas com problemas conjunturais como dinheiro, prestígio, resultados visíveis. Portanto, é no campo da divulgação das pesquisas que a tensão é mais aguda: aí a relação implica uma dependência, ou o convencimento dos que podem pressionar aqueles que decidem. Nesse sentido, a conexão entre pesquisa científica ou tecnocientífica depende sempre das alianças, do que os atores participantes fizeram ou deixaram de fazer para estabelecê-la.[4] Mas, ainda assim, a ciência é uma aventura.

---

[4] Temos no Brasil um ótimo exemplo: os pesquisadores ligados à pesquisa da Aids foram capazes de sensibilizar o público e o governo e tivemos como resultado nos tornarmos referência mundial tanto na mediação das campanhas de esclarecimento quanto na proposta dos exames gratuitos, na invenção do coquetel de tratamento e na sistemática de sua administração e finalmente na negociação ou quebra das patentes dos laboratórios estrangeiros que produziam os remédios indicados. Foi uma linda vitória. Implicou, no entanto, uma decisão política: não temos a verba necessária para a pesquisa da tuberculose, ou da malária. A Aids é uma doença contemporânea, dá uma visibilidade de atualidade, de vanguarda, que a tuberculose ou a malária, doenças antigas, do mundo antigo, não obtêm. Mas o número de brasileiros que morrem sofrendo dos últimos dois males talvez seja numericamente mais expressivo.

Indo por partes: apesar desta certeza da ciência, se olharmos para a sua história não encontraremos um caminho de acumulações lineares; mas,

> "por outro lado, a ciência, sendo um intricado sistema de pensamento que se autocorrige, avança e refina sua compreensão de milhares de objetos do seu estudo. É daí que deriva seu poder e seu status. A ciência prefere esquecer boa parte de seu passado: por sua própria característica básica, é obrigada a praticar uma amnésia seletiva" (McEwan, 23/04/2006: 4).

Apesar disto, textos e escritos como os de Francis Bacon (1561-1626), Aristóteles (384-322 a.C.) ou Galeno (129-216), que sabemos há tempos serem factualmente errados, pertencem à tradição dos textos científicos, entre outras razões, pela enorme influência que exerceram sobre os cientistas e as pessoas em geral durante séculos. Como nos lembra Foucault estudando os jogos discursivos, as relações de saber e de poder, e o que nomeou de vontade de verdade, patologia ocidental e processo de controle sobre a irrupção de novos enunciados, até o Renascimento a arte não era submetida ao princípio da autoria, enquanto o critério de legitimidade do enunciado científico (e o de sua responsabilização em caso de atrito com a Igreja) era precisamente a ligação do enunciado ao reconhecimento do seu autor: "Arquimedes disse..." (Foucault, 1970).

Podemos considerar que erros ou inverdades provocaram grandes descobertas: a própria química, ciência de ponta no início do século XX, nasceu ligada à alquimia; os caminhos tomados por alguns cientistas, mesmo quando se deparam com um beco sem saída, apresentam duas formas de contribuição: a mais evidente é a de poupar trabalho a muitos outros, a mais sutil é a de indicar alguns passos que são avanços e que podem ser novamente trilhados.

A este respeito é mais que bem-vinda a contribuição de Michel Serres, que se pergunta no prefácio da coleção *Elementos para uma história das ciências*, que ele mesmo dirigiu:

> "Longe de desenhar uma seqüência alinhada de aquisições contínuas e crescentes ou mesmo uma seqüência de súbitos cortes, descobertas, invenções ou revoluções precipitando no esquecimento um passado subitamente ultrapassado, a história das ciências corre e flutua sobre uma rede múltipla e complexa de caminhos que se cavalgam e entrecruzam em nós, cumes ou encruzilhadas, comutadores onde se bifurcam mais de uma via. Uma multiplicidade de tempos diferentes, com disciplinas diversas, de idéias de ciência, de grupos, de instituições, de capitais, de homens em acordo ou em conflito, de máquinas e objetos, de previsões e acasos imprevistos compõem conjuntamente um tecido flutuante que representa de forma fiel a história múltipla das ciências" (Serres, 1995).

Então, seguindo sua apresentação, como é que uma verdade pode aparecer, transformar-se, desaparecer, deixar o seu lugar para uma nova verdade? Esta não é a descrição que damos das opiniões (doxa) que desde a origem são o outro do conhecimento? A resposta que Serres computa universal é:

> "por meio de tribunais. As sociedades humanas não inventaram muitos outros meios, para além destas instâncias, para fixar, para construir a sua história, o seu próprio meio e a sua cultura singular. Desde o seu aparecimento, as ciências suportam-nas, combatem-nas, adotam-nas, utilizam-nas, dominam-nas. Elas acabaram por tornar-se, elas mesmas, instâncias onde se decide" (*Id.Ibid.*: 16).

Estes tribunais certamente adquiriram na história do Ocidente as feições de disciplinas, forma técnica de setorizar enunciadores, receptores e recortar instâncias do real, produzindo objetos de conhecimento e conceitos que passam a ser a referência da realidade. O que é e como funciona esta instância da disciplina? Certamente gerando possibilidade de formular sempre proposições novas, mas tais proposições precisam inscrever-se num preciso e delimitado horizonte teórico, obedecendo às regras de uma política discursiva que deve ser sempre atualizada, já que o próprio de uma disciplina é reconhecer proposições verdadeiras e falsas, ou seja, repelindo para fora de suas margens uma

> "teratologia do saber. O exterior de uma ciência é mais e menos povoado do que se crê: certamente, há a experiência imediata, os temas imaginários que carregam e reconduzem sem cessar crenças sem memória; mas, talvez, não haja erros em sentido estrito, já que o erro só pode surgir e ser definido no interior de uma prática definida; em contrapartida, rodam monstros cuja forma muda com a forma do saber. (...) Mendel dizia a verdade, mas não estava "no verdadeiro" do discurso biológico de sua época; não era segundo tais regras que se constituíam objetos e conceitos biológicos; foi preciso toda uma mudança de escala, o desdobramento de todo um novo plano de objetos na biologia para que Mendel entrasse "no verdadeiro" e suas proposições parecessem exatas" (Foucault 1970: 33-35).

Trata-se, portanto, de um princípio de rarefação: não obstante incentivar o surgimento dos discursos, os tribunais disciplinares vigiam de muito perto o que fazem aparecer e o que colocam na sombra. Eis porque, talvez, os cientistas tenham este tipo de confraria em que as relações de saber e de poder compreendem uma "iniciação" especial. Conservam certo direito de segredo, já que transitam num território só por eles conhecido.

Mas não há ciência sem técnica, sem máquinas, sobretudo sem aquelas que alguns chamam de aparelhos universais porque associam a eficácia dos aparelhos ao universal da cientificidade, os computadores. Mais do que isto: podemos dizer que o homem se separa do animal e constitui sua própria humanidade a partir da sua capacidade de fazer técnica, a escrita sendo a primeira exteriorização da memória, como o tacape foi a extensão do braço e do gesto.

Se lembrarmos Vico, o filósofo historiador, autor de *A nova ciência*, se é verdade que a essência da distinção entre história humana e história natural é que a primeira é trabalho do homem e a última não é, não seria mais fácil escrever a história da *tecnologia humana* do que a história da tecnologia natural? (Mazlish, 1993: 7)

Quando pensamos em técnica ou tecnologia, pensamos principalmente na idéia de uma ciência experimental, mas esta teve, desde sua origem, um trunfo curioso; como nos lembra Ferdinand Alquié (2002: 22), a criação da realidade e a criação dos conceitos são dadas na mesma operação, já que as experiências, que Latour chama de *"testemunhos silenciosos"*, são realizadas em circunstâncias plenamente controladas, naquele particular local que chamamos de laboratório, uma palavra emblemática que associa o labor humano e o oratório, onde se reza, como diz a semântica, mas talvez, aqui, possa definir onde se brinca de ser Deus.

Podemos compreendê-la, especialmente em nossos dias, como uma associação: ciência+organização+indústria, que apresenta um "coletivo" humano e não humano (Latour, 1999: 28), e para compreendê-la nos parece mais fecundo o caminho dos estudos científicos, interessados em preservar tanto a história do envolvimento dos homens nos fatos científicos quanto o envolvimento da ciência na feitura da história humana.

## Observando a atualidade

Podemos reconhecer no mundo contemporâneo um tripé composto pelas biotecnologias (incluídas aí a genética e a engenharia genética), as ciências cognitivas, relacionadas diretamente ao campo da inteligência artificial e da robótica, e as ciências da informação, que atuam na área dos computadores e das redes e atualizam nossas experiências de simulação, realidade virtual, ciberespaço, cibercultura, etc. São evidentemente relacionadas, vinculadas ao que alguns chamam de algoritmização da vida ou do cotidiano, mas, para o que nos interessa mais diretamente, são ***tecnociências***, isto é, atuam sobre uma realidade que é, a partir delas, o devir técnico do mundo.[5] Neste quadro científico atual inscrevem-se campos de problematização da vida e do corpo que produzem talvez mais fascinação do que interesse.

Como nos recorda Isabelle Stenghers, descrevendo a tensão entre o vivo e o artifício, desde sempre a hipótese de que o artifício humano possa fabricar o vivo ou apenas preparar suas condições à espera do sopro que animará esta matéria trabalhada; que o ser fabricado seja fiel ao seu fabricante ou lhe escape (como Frankenstein), fugindo para romper a monotonia da sua fabricação, são as histórias que povoam nosso imaginário. E, no entanto, toda inovação técnica suscetível de diminuir a distância entre o que sabemos "fazer-fazer" (Stenghers, 1997: 9) e o que os vivos fazem por si mesmos suscita o mesmo interesse e a mesma mistura de orgulho e medo.

A promessa das biotecnologias, especificamente da genética, vai muito longe neste caminho: como dissemos no começo deste artigo, ela se apresenta como a nova possibilidade de moldar, transformar e criar a vida, o que esbarra na promessa não enunciada, no entanto, muito sugerida, de erradicação da morte.[6]

Ora, estas tecnociências têm características próprias do seu tempo: pertencem ao universo do espetáculo, o que acrescenta um protagonismo particular aos seus agentes, assim como aos participantes das alianças discursivas. Um bom exemplo foi o da divulgação dos primeiros resultados do projeto "Genoma", que foram divulgados, ao mesmo tempo, pelo então presidente dos Estados Unidos, Bill Clinton, e pelo diretor

---

[5] A este respeito recomendamos a trilogia *Temps et technique,* de Bernard Stiegler, sobretudo o terceiro volume, *Le temps du cinema et la question du mal-être*, Paris: Galilée, 2001. Apresentei este mesmo parágrafo num texto anterior, junho de 2004, p.192.

[6] Parece que, no que toca aos habitantes dos países desenvolvidos, socialmente resolvidos e bem informados, estes só morrerão de acidentes ou atentados terroristas, o que significa que as doenças, linguagem ligada à natureza ou à sua degradação, terão desaparecido do elenco de causas de morte.

do laboratório Celera com o seguinte texto: *"Conhecemos agora a linguagem com que Deus criou a vida"*, muito mais próximo da linguagem de um sermão religioso do que de uma divulgação científica.

São extraordinariamente custosas, o que significa que necessitam de financiamentos diversos e constantes: assim, precisam dar retorno de produtividade e visibilidade a esta espécie de patrocínio; convocam-se então coletivas de imprensa internacionais para divulgar resultados muitas vezes precipitados ou sem a consistente análise de efeitos na vida social, comportamentos, etc. O que criticávamos nas disciplinas (que ainda atuam mas num momento à parte), que era o de legitimar as proposições a partir de um domínio de saber comum, agora é atropelado pelo projeto empresarial que cerca a pesquisa.

O resultado aparente, com honrosas exceções, é que, se no início do Ocidente, nosso continente cultural, as matemáticas *"que em grego significam o que é transmissível por excelência"* (Stenghers, 1997: 56) eram o modelo da formação, bastando pensar em Pitágoras e Platão, hoje, uma das afirmações do mesmo Platão no *Górgias* poderia ter sido publicada há pouco tempo na prestigiada revista *New Yorker: "A retórica então (...) não está preocupada em educar pessoas reunidas nos tribunais e nas demais assembléias sobre o certo e o errado; tudo o que ela quer é persuadi-las a compreender assuntos tão importantes em tão pouco tempo"* (Latour, 1999: 252).

## Nossas revistas científicas; 'ouvindo' o editor brasileiro da *Scientific American*[7]

Ulisses Capozoli começa dizendo que divulgação científica é, basicamente, um esforço de inteligibilidade do mundo que se quer atingir e compartilhar e que o dado especial que o divulgador aporta é o seu olhar atento. Estes são observadores do mundo que devem ultrapassar

---

[7] A entrevista, na íntegra, está publicada como *Divulgação e o Pulo do Gato*, por Ulisses Capozoli, em *Ciência e Público*, Casa da Ciência, 2006.

o mero ajuntamento de informações na direção de uma habilidade para formar sínteses.

> "Um texto de divulgação pode, ainda que alguns possam surpreender-se, produzir conhecimento primário, tanto quanto uma pesquisa convencional. E isto porque, tanto na divulgação quanto na pesquisa, o que está em questão é a interpretação. É a interpretação que revela o novo e, deste modo, reconfigura o mundo."

Considerando os debates entre cientistas e divulgadores, Capozoli aponta que os cientistas, na maior parte dos casos pesquisadores científicos, pretendem ter o privilégio da tradução da ciência para leigos, o que lhe parece um erro. Isto significa dizer que a divulgação da ciência é coisa para divulgadores científicos, tenham a formação que tiverem, desde que sejam comprometidos com princípios científicos. Seria necessário ainda que os pesquisadores, assim como os divulgadores científicos, pudessem fugir à atração da especialização dos seus campos de interesse e buscassem as conexões com as outras áreas.

Discorrendo longamente sobre o encanto da originalidade surpreendente do mundo, dá alguns conselhos, entre os quais perceber que os reconhecidos erros da ciência indicam que ela é uma criação humana, que não tem e não teria motivo nenhum para pretender ter qualquer natureza supra-humana. Como nos lembra, Einstein afirmou mais de uma vez nos seus textos que a ciência é um grande tesouro da humanidade, mas seu brilho é esmaecido frente ao grande desconhecido.

Segue Capozoli, escrever é sempre um ato de criação. Conectar duas pontas, ou seja, interpretar o texto de divulgação científica (e todo o jornalismo em geral) como forma de literatura seria interessante, mas ***talvez seja um desafio precoce numa sociedade sem tradição científica no Brasil. O problema neste caso não é de mérito mas de método*** (Capozoli: 128). O que se pode deduzir é que a forma de conceber a ciência está intimamente associada à forma de divulgá-la. Assim, se a concepção de ciência for estreita, a exposição dela, sob a forma de divulgação, terá a mesma marca.

Podemos estar sendo algo injustos, entretanto outra entrevista, exposta no mesmo livro e realizada em 1982 com um dos nomes que deu o rosto da divulgação científica na década de 1940, o professor e jornalista José Reis, nos parecia mais otimista.

Reproduzo na íntegra:

> "**Pergunta:** Os cientistas que se preocupam em divulgar os resultados de suas pesquisas para um público mais amplo são malvistos por seus colegas?
>
> **José Reis:** Quando eu comecei, na década de 40, havia uma reserva quanto ao cientista que freqüentava as colunas de jornais e revistas populares. Hoje essa atitude mudou, os cientistas já percebem que é importante dar ao público uma satisfação sobre o que realizam. Eles compreenderam que não podem se fechar, isolar-se em seus laboratórios. Mas a tradição isolacionista do pesquisador gerou muitos ressentimentos entre o cientista e os jornalistas (...) Se os jornalistas, algumas vezes por despreparo, outras pela ânsia de sensacionalismo, contribuíram para aquela situação, os cientistas não ficam absolvidos, pois muitos deles se negaram a dialogar com os repórteres ou a atender pedidos de colaboração..." (Massarani, Moreira, Brito, 2005: 75).

Aos nossos olhos, nenhum dos dois descreve a nossa realidade; nossas revistas, de maneira geral, são pautadas pela lógica empresarial; escrevem sobre o que é mais imediatamente interessante, buscando afirmar sua extrema atualidade; assim, mais do que a contextualização, a análise ou a compreensão das nossas novas referências, ou das mudanças que estão se anunciando, é o susto ou o choque (não o mesmo mencionado por Walter Benjamin em seus escritos) que parece vender bem. Apimentado de um sensacionalismo que parece ser partilhado pelos pesquisadores e pelos divulgadores.

Em alguns números que folheamos, alguns indicativos são rapidamente identificados, entre os quais duas posturas: o avanço tecnológico é apresentado como inevitável, e o que não existe hoje **ainda** existirá em breve. Na verdade, a noção de limite parece ter sido abolida ou talvez transferida de lugar: há coisas que são possíveis, mas ainda não são economicamente viáveis; a função principal da pesquisa é pragmática, o que podemos traduzir por disciplinar coisas e mobilizar pessoas ou mobilizar coisas e disciplinar pessoas. Mesmo quando apresentam dois pontos de vista, não encontramos uma verdadeira problematização, mas uma listagem de natureza simplista de prós e contras.

Falta aí, nos parece, uma intimidade teórica e metodológica com os estudos científicos, que, fazendo a ponte entre a cultura e a ciência, propõem que conhecer a ciência pode ser também amá-la. Para isto os poetas podem ser convocados; neste nosso caso, Álvaro de Ramos, um dos heterônimos de Fernando Pessoa: *"O binômio de Newton é tão belo quanto a Vênus de Milo"*.

## Referências bibliográficas

ALQUIÉ, Ferdinand. *La philosophie des sciences*. Paris: Table Ronde, 2002.

BADIOU, Alain. *Para uma nova teoria do sujeito*. Rio de Janeiro: Relume Dumará, 1994.

DEBRAY, Régis. *Des machines et des ames*. Paris: Decartes & Cie, 2002.

FOUCAULT, Michel. *L'ordre du discours*. Paris: Gallimard, 1970.

LATOUR, Bruno. *Jamais fomos modernos*. São Paulo: Editora 34, 1994.

________. *A esperança de Pandora*. Ensaios sobre a realidade dos fatos científicos. Bauru: Edusc, 2001.

________. *Políticas da natureza*. Como fazer ciência na democracia. Bauru: Edusc, 2004.

MAZLISH, Bruce. *The fourth discontinuity*. Yale University, 1993.

MASSARANI, Luisa; MOREIRA, Ildeu de Castro; BRITO, Fátima. *Ciência e Público, caminhos da divulgação científica no Brasil*. Rio de Janeiro: Casa da Ciência, UFRJ, 2006.

McEWAN, Ian. *As portas da compreensão.* Caderno Mais, Folha de S. Paulo, pp. 5-6, 23/04/2006.

POSTER, Mark. *A segunda era dos media.* Portugal: Celta, 2000.

SERRES, Michel. *Éclaircissements,* entretiens avec Bruno Latour. Paris: Flammarion, 1992.

________. *Elementos para uma história das ciências.* Portugal: Telemar, 1994.

STENGHERS, Isabelle. *L'invention des sciences modernes.* Paris: Flammarion, 1995.

________. *Cosmopolitiques.* tome 6 , la vie et l'artifice : les visages de l'émergence. Paris: La Découverte, 1997.

STIEGLER, Bernard. *La technique et le temps 2*, La désorientation. Paris, Galilée, 1996.

TUCHERMAN, Ieda. *Breve história do corpo e de seus monstros.* Portugal: Ed. Veja, 1999.

________. Fabricando corpos: ficção e tecnologia. *In*: *Corpo, técnica, subjectividades.* Revista de Comunicação e Linguagens. Portugal: Relógio d'Água, 2004.

# Percursos do olhar: televisão, narrativa e universo cultural do público[1]

*Marialva Barbosa* [2]

Partindo do pressuposto de que o público como consumidor cultural realiza múltiplos usos dos materiais disponibilizados, podemos dizer que o papel da televisão na sociedade contemporânea – com suas imagens ininterruptas e que colocam no ambiente do usuário narrativas plurais – não se reduz a conformar a realidade social. Produzindo e reproduzindo significados plurais, elaborando respostas, a narrativa televisual constrói réplicas significativas e inteligíveis dentro do universo cultural de seus públicos.

Apesar dessa constatação inicial, não podemos retirar dos meios de comunicação seu papel de elaborador de um discurso consoante à realidade social. Ao difundir uma narrativa do mundo (ainda que selecionada entre múltiplas possibilidades factuais), a mídia não é mero espelho da realidade, realizando sempre um trabalho de produção de significados, determinantes na constituição daquilo que chamamos realidade.

---

[1] Este texto faz parte das reflexões desenvolvidas na pesquisa "As cerimônias festivas da televisão brasileira", que conta com o apoio da Faperj (Bolsa Cientista do Nosso Estado) e do CNPq.

[2] Doutora em História e Professora Titular do Programa de Pós-graduação em Comunicação da Universidade Federal Fluminense e do Departamento de Estudos Culturais e Mídia da mesma universidade.

## Televisão e "trabalhos de memória"

Os meios de comunicação, para essa produção de significados, realizam "trabalhos de memória", classificando o mundo para o público, selecionando e ordenando a realidade social, tornando-se, dessa forma, "senhores da memória" da sociedade. A primeira operação é selecionar o que será narrativizado. Produzem, assim, escolhas, classificando o mundo, retendo assuntos com os quais, em princípio, o público se identifica.

Num primeiro momento, o mundo é apresentado como um amontoado de fatos desconexos sem nenhuma lógica racional interna. Nos noticiários, crimes aparecem ao lado de espetáculos populares, da vitória grandiosa de um time de futebol, da felicidade daqueles que ganharam um prêmio milionário. A desgraça das tragédias cotidianas, produzidas pela revolta da natureza ou pela revolta social, é entremeada com narrativas que enfatizam particularidades dissonantes do cotidiano. Entre essas peculiaridades figuram o exótico, o exógeno e os desvios de uma espécie de destino inelutável. São notícias sobre o nascimento em cativeiro de bichos que estavam em extinção, de pessoas que saltaram, pelos desígnios da sorte, da condição de miseráveis para a de afortunados, entre múltiplos outros temas.

Ao mesmo tempo, a narrativa considerada como verídica é entremeada por outras que são colocadas aprioristicamente no mundo do ficcional. A grade de programação da televisão alterna o texto que se refere ao mundo com aquele que constrói deliberadamente um outro mundo. Mas mesmo com esta divisão e classificação dos gêneros televisuais, observa-se um embaralhamento de sentidos. O ficcional reproduz dados da realidade objetiva, da mesma forma que o informacional contém réplicas de um mundo figurado. Mas essa mistura constitui para o público uma representação conhecida e reconhecida da existência. Também o mundo em que ele vive não separa em lugares estanques o sério e o risível, o real e o ficcional.

Após o ato de seleção memorável, realiza-se a segunda operação: a construção narrativa. Selecionando entre uma cadeia de fatos aqueles que ganham significação e elaborando sobre eles um texto inteligível para o público, produzem diuturnamente acontecimentos, apresentados como rupturas. A partir de um modelo de normalidade, considerado *a priori*, nas narrativas com pretensão a informar, produzem a anormalidade, ao elevar um fato à condição de acontecimento jornalístico.

Quando o universo narrativizado é o ficcional, também é a anormalidade o fio condutor da construção narrativa. Após mortes, julgamentos, heróis e vilões, céu e inferno, o mundo continuará nas mãos dos sobreviventes esgotados. O tempo de crise é substituído pela restauração da ordem. Mas os terrores que o precederam permanecem na memória do público esperando sua continuidade em outras narrativas que reproduzirão o mesmo modelo. O fim que o ficcional coloca na tela é compreendido pelo telespectador que, ao decifrar a mensagem, coopera com a construção da obra, tornando-se ele mesmo autor.

Evidentemente que o fato de realizar uma operação memorável que os transforma em senhores da memória e do esquecimento dá aos meios de comunicação, de maneira geral, o poder de fixar o presente para um futuro próximo ou distante. Ao legitimar o acontecimento, ao produzir a narrativa, divulgando-a, impõem uma visão de mundo que atua outorgando poder.

Há que se considerar ainda que é dado ao produtor do discurso o direito de falar de fatos, eventos, ocorrências que não foram registradas na sua presença. Quando produzem um discurso revestido da carga informacional, os meios de comunicação são *a priori* produtores de um discurso crível. Se a Igreja, o Estado e a ciência puderam ao longo dos séculos falar do passado, sendo seu discurso considerado crível, aos jornalistas é dado no presente o estatuto de produção de um discurso acreditado como verídico.

Quando esse discurso é veiculado na televisão, a imagem outorga à representação a presunção de reprodução do real, graças ao estatuto privilegiado de sua construção ao longo de séculos como reprodução da existência, como algo que figura o real. Mas se a imagem na televisão figura o real, também figura o ficcional, materializando o imaginário social.

A narrativa imagética, por outro lado, instaura um paralelismo sem precedente na temporalidade em cena pelo ato de narrar. Há a construção da coincidência entre o tempo do ato de narrar e o tempo do texto de contar. A ação se dá no instante da produção do ato elocutório, fazendo com que o narrador seja associado aos eventos, transformando-o em testemunha.

A narrativa da televisão – seja ela de que gênero for – produz a transição entre a experiência que precede a construção do texto e a experiência que lhe é posterior (a do público) e só ganha sentido quando passa a figurar nesse novo mundo. Introduz uma espécie de suspensão do tempo – o presente do telespectador – por um passado que agora está na tela e é apresentado como presente vivido, instaurando "o mundo das coisas contadas" (Ricouer, 1995: 115-116). Neste sentido, não há diferença entre narrativa ficcional ou não-ficcional. Daí também o embaralhamento de significações que o público produz em relação aos gêneros televisuais, misturando ficcional e factual.

Assim, a operação memorável não se esgota na construção da narrativa pelos meios. A última etapa do processo (a terceira operação memorável) é a refiguração da narrativa pelo público, no instante em que se apropria da mensagem e produz uma outra significação.

Só pode haver compreensão se o significado produzido puder ser aprisionado pelo espectador que dele fará múltiplos usos. E é nesse sentido que dizemos que a televisão é produtora de significados e não mera operadora que coloca em circulação mensagens destinadas ao público, também ele produtor de significados. É o público, portanto, que, imaginando o tempo do ato (a partir do tempo contado), precipita a narrativa, condensando em eventos exemplares seus traços duradouros.

É, portanto, na interação com o público, da relação que estabelece entre o tempo da narração e o tempo da vida, através do ato de contar, que a televisão operacionaliza seus textos. É neste ato do contar que ocorre o diálogo do público com os meios, produzindo o que Barbero (1998) classifica como mediações. Mediações como "lugares dos quais provêm as construções que delimitam e configuram a materialidade social e a expressividade cultural da televisão". É nos atos cotidianos do público, portanto, que se podem enxergar as mediações, como atos configurantes e produtores de novos sentidos.

## A narrativa televisual

Na casa do telespectador, na sua rotina diária, irrompem imagens que colocam em cena o ficcional, com todos os jogos temporais, interpelando-o a partir desse lugar, e construindo uma tessitura que remete às exigências dos leitores e atende às necessidades de expressão nas suas experiências privadas. Neste sentido, podemos dizer que o tom coloquial, a simulação de diálogos e a construção de personagens arrancados do mundo comum não devem ser explicados apenas como simulação do que é familiar para o público, e sim como exigência dos telespectadores, que a partir do texto compõem sua própria expressividade.

Expressividade que faz das práticas da oralidade a forma mais contundente do diálogo comunicacional na televisão. Assim, a sua construção imagética se estrutura sempre em modos que recuperam a materialidade da oralidade. Mesmo nas narrativas que têm a pretensão de informar, o *locus* de produção discursiva se dá num ambiente que reproduz cenas da oralidade. Nos telejornais, por exemplo, os locutores-jornalistas apresentam-se sempre em dupla, reproduzindo um diálogo no qual o público é peça fundamental. Falam olhando diretamente para o telespectador, que é imaginado na cena. Nos últimos anos, essa estratégia foi exacerbada com a construção de cenários que reproduzem salas de visita, onde os locutores principais (sempre em dupla) esperam a entrada em cena de um novo personagem: o comentarista especializado. Os três, na sala de visita do telejornal, reproduzem diálogos múltiplos, conversas, que materializam cenas cotidianas e diárias de um mundo oralizado[3].

---

[3] Isso é o que ocorre, por exemplo, no cenário do telejornal matutino e diário "Bom Dia, Brasil", transmitido em rede nacional pela Rede Globo de Televisão.

Outro ponto central da narrativa da televisão é a instauração de uma temporalidade particular e de contornos em torno do tempo de contar e tempo levado para contar (Ricouer, 1995). A simultaneidade dos diálogos com a produção do próprio acontecimento, nas narrativas jornalísticas da TV, muitas vezes produz uma espécie de hiato no tempo, fazendo com que se produza uma espécie de coincidência entre o ato de contar e o tempo que o narrador leva para contar. O passado torna-se presente na cena e provoca uma suspensão no presente vivido pelo telespectador, que passa a figurar na narrativa, compondo um novo presente: o presente contado da narrativa.

O improviso da cena, como recurso ao tempo presente, se por um lado produz a sensação de imediatismo, por outro permite transcrever quase que simultaneamente os sentimentos experimentados e suas circunstâncias. A retórica do improviso, construída de maneira freqüente pela televisão, promove a aproximação do texto ao sentimento. Daí a permissividade para a expressão, emoção, sentimentalismos que irrompem muitas vezes na narrativa informacional que, em princípio, precisaria de distanciamento. Mas a narrativa da televisão entremeia esse improviso com a idéia generalizada de documentação, sobretudo nos textos com pretensão à verossimilhança, considerando, portanto, a falibilidade da memória do narrador e a necessidade de recorrer ao documental como prova material da existência.

Ainda que a televisão seja dependente da idéia de fluxo televisual (Williams, 1990), da qual o zapeamento é a lógica mais evidente, o público é capaz de regular o seu tempo vivido pela grade de programação das emissoras. O relógio contemporâneo é o midiático, que faz com que cotidianamente se possa produzir uma demarcação temporal a partir da lógica narrativa da televisão. Saímos antes ou depois do Jornal Nacional, jantamos antes ou depois da novela das oito, acordamos para ver o primeiro telejornal do dia.

A programação que se repete – todos os dias haverá as novelas, os mesmos telejornais e todas as semanas os programas se distribuem de maneira fixa pelos dias certos na grade de programação das emissoras –

introduz uma temporalidade particular, marcada inexoravelmente por novos começos. Assim, a matriz cultural do tempo organizado pela televisão é dependente da lógica da repetição e do fragmento. Instaura-se, portanto, um tempo ritual que é, ao mesmo tempo, rotina.

A televisão tem como fundamento um tempo repetitivo, que produz a sensação de duração. Sabemos que o telejornal durará 20 minutos, que a telenovela terá exatos 30 minutos e assim por diante. Além disso, cada um desses programas – mesmo os não-ficcionais – voltará no dia seguinte, continuando a narrativa da véspera e figurando a idéia de continuidade. Para o público, portanto, cada um daqueles textos replica e reenvia aos anteriores, pertencentes ao mesmo gênero televisual. Há, pois, múltiplos tempos incluídos na grade da programação: o tempo do telejornal, o tempo da telenovela, o tempo dos programas humorísticos e assim por diante. Os tempos são construídos também pelas tipologias narrativas que aparecem sempre nos mesmos dias da semana e nos mesmos horários.

Finalmente há que se considerar o que é conceituado por Jesús Martín-Barbero (1998) como competência cultural. Ou seja, existe um lugar próprio para a televisão e é deste lugar que ela fala com o público e, sobretudo, produz a especificidade das suas narrativas. Como pertencente à cultura de massa, a televisão vai se adequar às regras estéticas de seu gênero e atuar culturalmente através desses gêneros. O público irá reconhecer, nos múltiplos textos produzidos, gêneros plurais, ativando competências culturais do próprio público a partir de sua produção narrativa. É por esta razão que Barbero enfatiza o fato de os gêneros constituírem uma forma de mediação fundamental entre os sistemas produtivos e os de consumo, acionando modos de ler e usos diferenciados.

## Práticas culturais

Pensar a narrativa da televisão é trazer para o centro do debate primeiramente a questão da cultura e, em segundo lugar, a reflexão sobre o popular e visualizar que toda cultura requer uma atividade, um modo de apropriação, uma adoção e uma transformação, ou seja, um intercâmbio instaurado na sociedade.

Por outro lado, falar em cultura de massas é perceber a cultura no plural, tal como concebe Michel de Certeau[4]. Não se trata de colocar de um lado competências culturais populares e, de outro, competências culturais de grupos considerados inseridos em outro lugar na sociedade. Há que se entender que a cultura é plural também no sentido de que sempre haverá trocas culturais múltiplas entre os vários grupos na mesma sociedade. Ainda que haja na sociedade dicotomia cultural, há sempre influxo reflexivo de uma cultura sobre a outra. Aquilo que Mikhail Bakhtin chama *circularidade cultural*.

O esforço de Certeau em ultrapassar uma visão que sedimenta as exclusões sociais também a partir do olhar que postula uma teoria verdadeira é semelhante ao que foi realizado por Bakhtin. Ambos procuraram desmanchar a tradição que construía o conceito de cultura dividido em níveis hierárquicos. Essa cultura partida entre os grupos sociais que detinham ou não o poder na sociedade era em grande medida decorrente de uma pré-conceituação que dividia as significações das ações humanas em níveis diferenciados: de um lado, o erudito, e de outro, o popular.

A partir da disseminação da obra de M. Bakhtin (1987), que coloca em cena o conceito de *circularidade da cultura*, passou-se, cada vez mais, a considerar na análise não a subordinação de uma cultura a outra, mas as trocas recíprocas entre os diversos grupos sociais. Ainda que com resistência, como mostra Carlo Ginzburg no prefácio de *O queijo e os vermes* (1987), decorrente da persistência de uma concepção aristocrática de cultura.

Com freqüência, diz ele, as idéias originais são consideradas como produzidas pelas classes superiores e sua difusão pelas classes subalternas é percebida como algo raro e sem maior interesse. A maioria das

---

[4] *Cultura no Plural* é o nome de um livro de Michel de Certeau que reúne artigos produzidos, entre 1968 e 1973, a primeira edição é de 1974. Em essência, como define Luce Giard no prefácio, o objetivo do autor é enfocar a vida social e a inserção da cultura nessa vida (2000: 9).

vezes considera-se que essa migração produz deterioração e deformação das idéias durante o processo de transmissão.

Bakhtin mostra, ao analisar a obra de Rabelais, que embora haja naquele mundo dicotomia cultural, há também circularidade, influxo recíproco entre cultura subalterna e cultura hegemônica (1987: 17-21). A partir dessa idéia mestra, Ginzburg procura produzir uma etnografia do mundo popular, ainda que faça isso a partir da escrita transformada em documentos por aqueles que detinham o poder da palavra na Europa pré-industrial.

A noção de circularidade da cultura coloca, pois, em cena a idéia central de que numa dada sociedade os grupos sociais produzem representações de mundo, crenças, significações que são transmitidas *dialogicamente* a outros grupos, num processo nítido de construção de hegemonia e contra-hegemonia, no sentido gramsciniano do termo.

Se cada discurso possui em si mesmo múltiplas vozes, também o discurso se materializa em significações (símbolos, tradições, maneiras de ver e expressar o mundo, valores) – pelas quais os homens comunicam, perpetuam e desenvolvem seu conhecimento e suas atitudes perante a vida, ou seja, a cultura – carrega dentro dessas significações vozes dialógicas.

Sem querer definir e nem mesmo enfocar as múltiplas discussões que se desenvolvem em torno da conceituação de cultura, e partindo da premissa da complexidade do conceito (Williams, 2000), procuramos estabelecer filiações teóricas que possibilitam um alargamento do olhar sobre a questão cultural. Neste sentido, a noção de circularidade de Bakhtin é fundamental para se enfeixar as múltiplas acepções do conceito, identificando-o como modo de vida ou modo de luta se quisermos empregar a conceituação clássica de Thompson (1961). A cultura é a experiência comum, a forma como cotidianamente desenvolvemos nossas ações – como processos – na sociedade.

Adotando-se a premissa de Michel de Certeau, a cultura não é um tesouro a ser protegido, nem um conjunto de valores a ser definido. A cultura é um trabalho que é realizado em toda a extensão da vida social.

Abandona-se a celebração da cultura no singular para uma outra centrada no plural, identificando-se na atividade cotidiana a expressão cultural.

## Certeau e a liberdade "gazeteira" das práticas

Para Certeau, as expressões culturais são produzidas com o vocabulário das ferramentas, dos utensílios, das vestimentas e dos gestos cotidianos. Assim não seria possível estabelecer como norma da cultura a forma literária ou artística, "digamos elitista, que toma essa prática do desvio". "Mas essa morada, o traje, a bricolagem, a cozinha, as mil atividades urbanas ou rurais, entre familiares ou amigos, as formas múltiplas do trabalho profissional constituem também campos onde a criação surge por toda parte". E conclui:

> "O cotidiano está semeado de maravilhas, espuma tão fascinante, nos ritmos prolongados da língua e da história, quanto à dos escritores ou dos artistas. Sem nome próprio, todas as espécies de linguagens dão origem a essas festas efêmeras que surgem, desaparecem e retornam" (2001: 245).

Central para a definição dessa cultura no plural como "maneiras de fazer" das invenções e criatividades cotidianas é a construção de dois outros conceitos: estratégias e táticas.

Para Certeau, a construção de um novo modelo de compreensão da realidade social e das ações nela desenvolvidas, procurando superar os limites do padrão científico dominante, passa necessariamente pela definição dessas duas noções. Diz ele: "Chamo de estratégia o cálculo (ou a manipulação) das relações de forças que se torna possível a partir do momento em que um sujeito de querer e poder (uma empresa, um exército, uma cidade, uma instituição científica) pode ser isolado".

A estratégia "postula um lugar suscetível de ser circunscrito como algo próprio e ser a base de onde se podem gerir as relações com uma exterioridade de alvos ou ameaças (os clientes ou os concorrentes, os inimigos, o campo em torno da cidade, os objetivos e objetos da pesquisa etc.)". Estratégicas, portanto, são as ações e concepções próprias de um poder na gestão de suas relações com o seu "outro".

Em relação às táticas, Certeau as define como ações calculadas e determinadas pela ausência de um próprio, sendo o movimento que se executa dentro do espaço de ação do *inimigo* e por ele controlado. Ela não tem, portanto, a possibilidade de criar um projeto global, nem de dominar o adversário num espaço distinto, visível e objetivável. Ela opera golpe por golpe, lance por lance. Aproveita as ocasiões e delas depende, sem base para estocar benefícios, aumentar a propriedade e prever saídas (2001: 99-101).

O que as táticas ganham não se conserva. Este não-lugar lhes permite, sem dúvida, mobilidade, mas numa docilidade aos azares do tempo, para captar no vôo as possibilidades oferecidas por um instante. "Tem que utilizar, vigilante, as falhas que as conjunturas particulares vão abrindo na vigilância do poder proprietário. Aí vai caçar. Cria ali surpresa. Consegue estar onde ninguém espera. É astúcia". A tática é comandada pelos acasos do tempo e determinada pela ausência de poder e, assim como a estratégia, é organizada pelo postulado de um poder (Certeau, 2001: 100-101).

Ao discutir a ação criativa cotidiana, Certeau produz uma crítica ao binômio poder *versus* resistência, postulado por Michel Foucault, sobretudo, no seu livro *Vigiar e Punir* (2003). Ao apresentar as estratégias do poder disciplinar (os dispositivos), procedimentos técnicos minúsculos que atuam sobre detalhes, distribuídos nos espaços e nos corpos, Foucault produz – apesar de visualizar a questão da resistência – uma visão de poder enquanto lugar de forças dominantes. Esse poder opaco se define pela falta de proprietário, de lugar privilegiado, de hierarquias, de atividade repressiva, tornando-se eficaz por sua capacidade tecnológica de distribuir, classificar, analisar e individualizar. A partir dessa constatação, procura denominar e classificar as regras gerais, as condições de funcionamento, as técnicas e os procedimentos, as operações, os mecanismos, princípios elementares que compõem a sua *microfísica do poder*. Ao designar o binômio poder-resistência, Foucault supõe um vínculo indelével para dinamizar os lugares, as posições, que assim passam a depender do poder como princípio e fim absoluto.

Contrário a esta dinâmica explicativa, Certeau considera a pluralidade de resistências, que não dependem univocamente do poder. Os procedimentos populares, minúsculos e cotidianos se articulam com os mecanismos de disciplina nas dobras e nos vínculos, nas fímbrias imperceptíveis, armando-se para transformá-los. E esses procedimentos constroem-se criativamente como aparentemente mudos da voracidade do poder. Essas maneiras de fazer proliferam contaminando quase que microscopicamente o interior das estruturas tecnocráticas, modificando-as mediante uma multiplicidade de técnicas, tendo como base o cotidiano. Esses procedimentos, essas táticas, essas astúcias criam, por fim, uma atmosfera de antidisciplina.

Certeau acredita na liberdade interior dos não-conformistas, mesmo quando estão reduzidos ao silêncio. Silenciosamente modificam ou desviam a liberdade imposta. Respeita a resistência e a mobilidade que esta introduz, já que crê firmemente na "liberdade gazeteira das práticas". Esses usuários cotidianos instituem usos diferenciados dos produtos e regras, desenvolvendo táticas desviantes, que "embora sejam relativas às possibilidades oferecidas pelas circunstâncias, não obedecem à lei do lugar".

O que distingue as táticas das estratégias são os "tipos de operações" realizadas nos espaços onde as estratégias existem para produzir, mapear e impor. Contrapondo-se às imposições, as táticas utilizam esses modelos, mas produzindo alterações.

Procurando construir outro modelo para a explicação científica, em que a separação entre o saber que contém o discurso e o corpo mudo que o sustenta (2001: 15) não se estabeleça, Certeau influencia decisivamente os estudos de comunicação instaurando um modelo de análise que considera os "usos" que o público faz da mídia, realizando operações de tradução, de integração, de construção de proposições relativas aos seus universos cotidianos. Assim, "à produção racionalizada, expansionista e centralizada, ruidosa e espetacular da televisão", diz ele, corresponde sempre outra produção astuta, silenciosa e quase invisível, que opera com as maneiras como os sujeitos dela se utilizam e como a consomem.

Na *Invenção do cotidiano* (2001), Certeau jamais emprega a expressão usuários para designar aqueles que utilizam a mídia. Sua preocupação é analisar os usos, aquilo que ele chama "maneiras de fazer" que os indivíduos produzem a partir dos materiais que, por exemplo, os meios de comunicação colocam à disposição. Quando se refere aos indivíduos, fala de consumidores culturais ou praticantes.

As mensagens que chegam a esses praticantes são alvo de invenções e criatividades cotidianas, que aparecerão nos seus gestos mais simples e corriqueiros. Essas operações correspondem a uma arte muito antiga de *fazer com*. A esse *fazer com* Certeau (2001) dá o nome de usos. Ao pesquisador cabe reconhecer nesses usos as ações que têm formalidades e inventividades próprias e que organizam em silêncio o trabalho cotidiano do consumo. A idéia central é que o público se apropria ativamente das mensagens culturais que lhe são destinadas, sem ser receptor passivo. Ao contrário, são consumidores culturais ativos que fabricam sentidos com as narrativas que lhes são oferecidas pelos meios de comunicação.

Em relação à televisão, Certeau diz textualmente: "A análise das imagens difundidas pela televisão (suas representações) e os tempos dedicados a assistir televisão (um comportamento) devem ser completados pelo estudo daquilo que esse consumidor cultural fabrica durante essas horas e com essas imagens" (2001: 93). Portanto, nas análises sobre a televisão é fundamental recuperar o terceiro trabalho de memória, aquele que é realizado pela apropriação criativa do público.

Constatando a existência de uma espécie de fosso entre as representações oferecidas pelas mensagens e aquelas apropriadas pelos usuários, a posição metodológica de Michel de Certeau consiste precisamente em tentar descrever esses usos. Para isso, apóia-se na distinção introduzida pela lingüística entre *performance* e *competência*, aplicando esses conceitos ao conjunto de práticas corriqueiras de comunicação e de consumo.

Na lingüística, *performance* não é competência. O ato de falar (e todas as táticas enunciativas que ele introduz) não se reduz ao conhecimento da língua. Na perspectiva da enunciação, há o ato de falar – que opera no campo de um sistema lingüístico – mas há também a apropriação e a reapropriação da língua por locutores, instaurando um presente relativo a um momento e lugar precisos, colocando um ator em contato com um outro (interlocutor), numa rede de lugares e relações.

Essas características do ato enunciativo – o ato de falar, a apropriação da língua pelos locutores, a instauração de uma dada temporalidade, operacionalizada num espaço, pressupondo neste contato com o outro uma rede de relações e lugares sociais – podem ser encontradas, segundo ele, em práticas como andar, cozinhar, ler, ver televisão, entre inúmeras outras presentes no cotidiano.

A arte operatória dos usuários – que consiste, a maior parte do tempo, em agir de maneira diferente do que esperam os responsáveis pela difusão e programação dos mercados culturais – leva à criação de espaços de incertezas e de invenções permanentes. Os usuários têm o poder de transformar, abandonando o que é sugerido pela indústria cultural.

A análise das práticas de leitura constitui um dos exemplos favoritos do autor. Duvidando da passividade da leitura, vê esse tipo de construção como ideológica (a do consumo-receptáculo), necessária numa sociedade que distingue e privilegia os produtores do discurso.

Suas descrições das atividades de leitura realizadas pelos usuários ilustram, de maneira decisiva, como estes se desviam e se movimentam de maneira própria nesses lugares de signos heterogêneos. "Percursos através da página, metamorfoses do texto pelo olho que viaja, vôos imaginários ou meditativos a partir de algumas palavras, transposições de espaços sobre as superfícies militarmente dispostas do escrito, danças efêmeras". Não é possível na sua concepção separar a leitura e o texto legível (livro, imagem, etc.). O texto só se completa pela atividade de leitura, tornando-se texto somente na relação com o leitor, "por um jogo de implicações e de astúcias entre duas espécies de expectativas combinadas". De um lado, aquela que organiza o espaço legível (uma literalidade), e de outro, a que organiza a competência necessária para efetuar a obra (uma leitura).

Ler é, portanto, produzir, ainda que silenciosamente. Uma produção que deriva das páginas, metamorfoseada do texto pelo olho do viajante. O mesmo olho que improvisa significações a partir de algumas palavras constrói sentidos nos espaços escritos e nos vazios, produzindo a dança efêmera da leitura. O leitor se transporta para o texto, fazendo-se plural com os barulhos do seu corpo. Rotas, metamorfoses, combinações. A produção do texto, como leitura, é também uma invenção da memória, transformando o legível em memorável. Um mundo diferente (o do leitor) se introduz no lugar do autor (Certeau, 2001: 265-271).

Reconhecendo a atividade inventiva e criativa do leitor, enfatiza o fato de este não se reduzir a simples consumidor passivo da mídia. A noção de consumo, por outro lado, toma um sentido diferente daquele que lhe atribui o modelo clássico de economia de mercado. O consumo constitui-se como prática de criação de significados culturais, associado às formas e aos conteúdos das mensagens com as quais os usuários são colocados em contato por intermédio dos meios de comunicação. O ato de comunicação é visualizado como processo de co-produção simbólica, no qual o ator-sujeito-receptor é chamado a se movimentar numa floresta de signos e de símbolos de consumo. Movimento que pressupõe uma prática e uma transformação do objeto, desenvolvida, quase de maneira invisível, em atos, muitas vezes não compreendidos. Os atores-consumidores se transformam, através do processo de consumo cotidiano (seja midiático ou não), em sujeitos autônomos.

A passividade dos consumidores é substituída pela convicção de que há criatividade nos gestos mais simples. Criatividade escondida em caminhos por vezes silenciosos e sutis, de tal forma que "cada um inventa uma maneira própria de caminhar através da floresta dos produtos impostos". Os usuários podem, pois, aceitar ou negociar as significações das mensagens dominantes da indústria cultural.

Como os produtores, também os usuários realizam um trabalho específico, no qual são construídas diversas traduções que permitem a aproximação entre os seus universos e os dispositivos técnicos, uns e outros claramente delimitados. Os objetos são os mesmos, mas os dispositivos técnicos só ganham sentido quando colocados em relação aos usos, ao entorno, ou seja, em relação à cultura. São os processos, as ferramentas e os atores sociais que dão sentido aos dispositivos. Há que haver nessa relação materialidades das práticas e apropriações realizadas pelos atores sociais envolvidos nesses processos.

## E o popular?

Não é possível pensar as práticas cotidianas que a televisão instaura e a forma como também no cotidiano suas mensagens são compreendidas sem pensar na constituição do massivo a partir do popular (Martín-Barbero, 1998). Como produtos culturais polissêmicos, os textos televisuais oferecem ao público uma ampla significação e, sobretudo, um amplo entendimento que inclui a forma como essas mensagens são ressignificadas a partir do popular.

Também na forma como deve ser visto o popular, a partir das mensagens midiáticas, a noção de *circularidade* de Bakhtin é fundamental. O popular está no massivo, nos interpelando, como diz Martín-Barbero, como também o massivo interpela o popular. Não se trata, pois, de definir o conteúdo televisivo como sendo de bom ou mau gosto, a partir de parâmetros previamente definidos. Trata-se de enxergar nas narrativas da televisão esses lugares de produção textual, mas, sobretudo, de reconhecimento.

As narrativas da televisão recorrem a valores caros ao popular, tal como a dramatização do real, a materialização do universo das emoções, sempre apelando para o sensorial, para os jogos na forma de dizer. Narra-se de forma exagerada, utiliza-se o paradoxo, a paixão, a emoção. Tudo o que a pretensa alta cultura chama de mau gosto. Daí o reconhecimento dos grupos populares, presentes nessas narrativas que de certa maneira recriam o seu cotidiano.

Daí também a presença de narrativas que têm como base o exagero, do qual o melodrama é o exemplo mais bem acabado. Pode-se pensar também, como Martín-Barbero, que a melodramatização de tudo, tal como aparece na televisão, é uma espécie de vingança que os grupos populares impõem pela abstração em que foram colocadas as suas vidas. Assim, o melodrama seria uma espécie de recuperação da memória popular pela indústria cultural e ao mesmo tempo metáfora indicativa dos modos de presença do povo na massa (1998: 320).

O popular muitas vezes é incompreensível a olhares que interditam, num processo de dupla exclusão, os gostos, os entendimentos, as preferências de um público que – numa ação pré-conceitual – é classificada como de menor valor. Mas as narrativas que enfocam essas vidas abstraídas são formadas pela mescla dos dramas cotidianos, pelos melodramas, pelas formas que navegam entre o sonho e a realidade.

Apelando aos valores do grotesco, o popular se nutre – ao mesmo tempo – dos gostos, apelos, desejos de outros grupos, num processo de circularidade da cultura. Mas o popular, sobretudo, se realiza no massivo a partir da explosão dos meios de comunicação de massa como operadores da realidade.

Para Certeau, a cultura popular manifesta-se como forma singular de resistência, uma resistência astuciosa que remete à idéia de jogo, trapaça, mecanismos de recusa de estratégias e ao mesmo tempo construção de táticas para assimilação. Prevê a existência de um usuário que faz com, que utiliza – com esperteza e sabedoria – as referências culturais produzidas na sociedade e transforma, a partir de seus próprios recursos, essas referências, realizando aquilo que vai classificar como as artes de fazer. Tal como Gramsci, também Certeau está considerando o popular como uma posição (construída de forma conflituosa) frente ao hegemônico. A diferença é que Certeau vê saídas nos gestos simples empreendidos no cotidiano. A saída está na produção de táticas, a partir das estratégias colocadas em cena pelo grupo hegemônico.

O que chamamos de linguagem televisiva é, pois, o resultado de um processo de entrelaçamentos de múltiplas linguagens e gêneros midiáticos – considerando a produção de discursos hegemônicos e contra-hegemônicos ou, se quisermos, estratégias e táticas que remetem ao exercício das artes de fazer produzido pelo público – tendo, como pano de fundo, duas outras questões fundamentais: a imagem e o imaginário. Nessa linguagem observa-se o amálgama de práticas culturais que se revelam em modos próprios de contar histórias, ora dependentes da convenção de veracidade, ora dependentes da convenção de ficcionalidade.

Essas dependências, entretanto, não invalidam o embaralhamento de fronteiras que remete à produção dos discursos cotidianos, em que também se contam histórias nas quais o informacional, por exemplo, pode ser revelado pelo exagero das formas do ficcional. Esses regimes são dependentes de estratégias narrativas que remetem a historicidades precisas. No caso brasileiro, a televisão organiza o imaginário em redes híbridas, em que se entrelaçam o real e o fantástico, a vida e a imaginação.

A lógica da vida em capítulos – um dia após o outro –, como a própria existência, é remontada pela narrativa da televisão, que produz uma estratégia fundamental de ilusão da realidade, ao mesmo tempo que se torna presença obrigatória no cotidiano. Tal como a vida que ocorre dia após dia, também a televisão constrói sua narratividade dia após dia, acompanhando em progressão a vida e, por isso mesmo, sendo parte constitutiva da própria existência.

## Imagem e imaginário

Lorenzo Vilches, no seu livro *La lectura de la imagen* (1995), afirma que nenhuma imagem é um espelho virgem porque contém previamente a imagem do espectador. As imagens na comunicação são textos culturais que contêm um mundo possível, incluindo a imagem do espectador. Os textos revelam ao leitor sua própria imagem.

Ao fazer essa afirmação, Vilches está propondo que a imagem é um construto da realidade de natureza cultural e que contém elementos que possibilitam não apenas o entendimento, mas também o reconhecimento do telespectador.

A imagem é, pois, um texto visual que contém aspectos formais e temáticos que obedecem a regras e estratégias precisas de elaboração. São essas estratégias que constituem uma espécie de modo de organização que permite o reconhecimento do telespectador.

As imagens da televisão possuem diversas matérias significantes que podem ser compreensíveis para o público: sinais visuais (imagens múltiplas que constroem o movimento), sinais auditivos (fala, música, ruídos, silêncio) que com freqüência ajudam a criar a ilusão de mundo natural ou real.

A produção de imagem, algo eminentemente humano, é uma atividade dialética que continuamente se supera a si mesma no ato de sua existência e nos nexos estabelecidos com o que chamamos cultural e historicamente de realidade. De percepção aberta e polivalente, as imagens originam-se na argúcia ativa e ordenadora, através da qual aquele que a produz só ganha existência pela presença do outro que a vê. Nesse jogo de espelhos, surgem interpretações plurais, fazendo das imagens não objetos passivos de visualização, mas elementos ativos de interpretação.

A imagem é, portanto, uma narrativa que gera estímulo, que permite aos sentidos perceber e também diz respeito ao imaginário relativo a uma dada realidade histórica.

Etimologicamente, imaginário deriva de imagem. Podemos dizer que as imagens constituem espécies de armaduras indispensáveis ao imaginário, mesmo não o reduzindo apenas às representações sensíveis. O mundo das imagens pertence definitivamente ao regime do imaginário. Observa-se em cada imagem uma mistura de elementos nos quais figuram aspectos que chamamos "reais" e outros que pertencem ao ficcional e que precisamente constituem a lógica do imaginário.

Mas como definir imaginário e, sobretudo, como considerar a questão do imaginário? A partir da idéia que coloca em evidência arquétipos imemoriais do imaginário que nada têm a ver com a estrutura objetiva e material da existência humana? Ou a partir das mudanças estruturais que consideram ser fundamental a formulação de estruturas imaginárias a partir de modificações que se operam na base material da sociedade?

Sem querer tomar partido de uma ou de outra posição, podemos considerar que a contemporaneidade produziu medos específicos que são decorrentes de condições materiais e mentais que forjaram algumas expectativas: o medo do fim inelutável decorrente da base tecnológica da sociedade é um deles. Como diz Lucian Bóia (1998), o dilúvio contemporâneo é a Guerra Nuclear.

Há que também suplantar a dicotomia real e imaginário e renunciar à idéia de razão como medida de todas as coisas. O imaginário se mistura àquilo que consideramos realidade e se confronta com ela. Aí acha seus pontos de apoio e, ao mesmo tempo, o seu meio hostil. Devemos pensar também que cada época histórica produz reações similares do homem diante da vida e do mundo, fundando uma espécie de unidade mental, estruturada por mitos ou representações arquetípicas. São essas representações fundamentadas, sobretudo, em imagens (mentais ou "reais") que chamamos imaginário.

Em relação à chamada "realidade", o imaginário desempenha uma espécie de papel compensatório. Trata-se de criar estratégias narrativas compensando as desilusões, construindo espécies de telas contra os medos e inventando soluções alternativas. Fim do mundo, milenarismo, utopias, exacerbação das alteridades, personagens providenciais, práticas ocultas e tantos outros cenários construídos para, de certa forma, fazer com que a desesperança seja ultrapassada pelo regime da imaginação que o imaginário instaura.

Estudar as imagens da televisão significa também enfocar essas estruturas do imaginário que aparecem nos seus textos, construindo uma ordem social envolta numa atmosfera de sonho. E nesse sentido é se debruçar sobre o imaginário entendido como produção de representações da ordem social, por atores sociais em relação no mundo (hierarquias, domínios, obediência, conflito, etc.). Falar em linguagem televisual é, pois, colocar em cena o imaginário e se referir a aspectos que manifestam as representações do público.

Na medida em que o imaginário torna-se inteligível e comunicável através de textos, nos quais figuram as representações coletivas, tendo a obra como instrumento, podemos dizer que a televisão atua diretamente sobre ele construindo um sistema simbólico a partir da experiência social de seu público, de seus desejos, aspirações, medos, inseguranças, anseios e recusas.

O imaginário na organização imagética do mundo constrói a realidade, que é apreendida e comunicada. Como categoria de análise é composto de duas partes: a primeira recolhe na produção de imagens de um tempo e lugar (o já-dito) os sentidos possíveis que atualizam aquele discurso na sua singularidade e historicidade. E são as imagens que constroem essa fixação de sentido.

A nova imagem é sempre matizada por imagens latentes, fazendo com que novos sentidos sejam adquiridos em situações particulares, mas ao mesmo tempo enunciem traços anteriores. Um exemplo que podemos dar é a figuração da morte na contemporaneidade. Se ao mesmo tempo há a convicção de que o corpo material do ser humano é sempre um duplo, constituído de uma parte material e outra imaterial (corpo e alma), a idéia de morte carrega uma rede de sentidos permanentemente atualizados. A morte é finitude, mas é também a possibilidade de volta imaterial. A separação entre o mundo dos vivos e dos mortos jamais é absoluta. Existem espécies de portas que permitem a passagem de um lado ao outro (o que é explorado pelas narrativas midiáticas, caracterizando uma espécie de êxtase mítico). Os espíritos podem estar entre nós – nessas narrativas figuradas – criando espécies de almas que voltam para cumprir um destino que se quebrou antes do tempo[5].

Ao lado desse aspecto que opera o já-dito, o imaginário possui uma dimensão criativa, estabelecendo novos comportamentos e normas so-

---

[5] Estamos nos referindo explicitamente à novela "Alma Gêmea" (Rede Globo de Televisão, 18 horas) cujo enredo destaca a volta de um espírito no corpo de uma nova mulher, para, dessa forma, reencontrar em outra vida a sua Alma Gêmea, representada pelo grande amor de sua vida.

ciais. Quando se reflete hoje, por exemplo, sobre a representação feminina, podemos pensar na imagem de Eva como uma espécie de evocação do pecado, da sensualidade, do mal. Mas nessa figura mitológica há ainda uma rede de sentidos que remete à Antiguidade: serpente, árvore, mulher, nudez, vegetal, símbolos associados à figura de uma Deusa onipotente e criadora. No símbolo da mulher que cria o ser figura uma série de sentidos acumulados, fazendo com que o símbolo seja uma espécie de amálgama de significados. Assim, o imaginário é criador daquilo que chamamos realidade, ao mesmo tempo que é também criado, numa circularidade de ação, que impede de dizer onde está o instituidor e onde está o instituído.

A televisão, com suas construções diárias e cotidianas, produz uma espécie de realidade a partir da criação incessante e indeterminada de formas, figuras, imagens a partir das quais se pode falar de alguma coisa. Assim, a televisão, mais do que imagem, é imaginário.

## Referências bibliográficas

BAKHTIN, Mikhail. *A cultura popular na Idade Média e no Renascimento.* O contexto de François Rabelais. São Paulo: Hucitec, 1987.

BÓIA, Lucian. *Pour une histoire de l'imaginaire.* Paris: Les Belles Lettres, 1998.

CERTEAU, Michel de. *A cultura no plural.* Campinas: Papirus, 2000.

________. *A escrita da história.* Rio de Janeiro: Forense Universitária, 1982.

________. *A invenção do cotidiano.* 1. Artes de fazer. Petrópolis: Vozes, 2001.

FOUCAULT, Michel. *Vigiar e punir.* Rio de Janeiro: Nau Editora, 2003.

GINZBURG, Carlo. *O queijo e os vermes.* São Paulo: Cia. das Letras, 1987.

MARTÍN-BARBERO, Jesús. *Dos meios às mediações.* Rio de Janeiro: UFRJ, 1998.

RICOUER, Paul. *Tempo e narrativa*, I, II e III. Campinas: Papirus: 1994, 1995 e 1997.

THOMPSON, E. P. The Long Revolution. *New Left Review*, n. 9, pp. 24-33, 1961.

VILCHES, Lorenzo. *La lectura de la imagem*. Barcelona: Paidós, 1995.

WILLIAMS, Raymond. *Cultura*. São Paulo: Paz e Terra, 2000.

________. *Television, technology and cultural form*. Londres: Routledge, 1990.

# Velhos jornalistas: memória, velhice e identidade profissional

*Ana Paula Goulart Ribeiro*[1]

A Ordem dos Velhos Jornalistas foi uma entidade criada em 28 de março de 1957 por antigos sócios e ex-conselheiros da Associação Brasileira de Imprensa, tendo como objetivo constituir a história da imprensa brasileira. Mas, afinal, o que era essa ordem, que durou até meados dos anos 1980? Como ela funcionava? Que sentidos sobre a profissão e a velhice ela mobilizava?

Tendo a OVJ como ponto de partida, este trabalho pretende ser uma reflexão sobre a relação entre memória e a construção da identidade profissional do jornalista no seu processo de envelhecimento. Para isto, utilizamos como fonte de pesquisa dois periódicos da entidade: o *Boletim Mensal da Ordem dos Velhos Jornalistas*, publicado de agosto de 1967 a fevereiro de 1973, e a *Gazeta da Ordem dos Velhos Jornalistas do Brasil*, publicada de fevereiro de 1973 a dezembro de 1984[2].

Ao analisarmos essas publicações – que eram distribuídas gratuitamente aos membros da entidade –, o que nos interessou foi perceber,

---

[1] Professora Adjunta da Escola de Comunicação da UFRJ.

[2] Para a realização do trabalho de levantamento das fontes primárias na Biblioteca Nacional, a autora contou com a preciosa ajuda de Juliana Franklin de Oliveira, graduanda da ECO/UFRJ.

nos relatos ali publicados, como alguns conceitos foram freqüentemente repetidos, reproduzindo um determinado simbolismo sobre o jornalismo e sobre a velhice. Interessou-nos observar, nas visões fixadas pelos jornalistas autodenominados "velhos", os ecos de uma idealização do grupo profissional e a formação de uma certa identidade.

A OVJ era uma entidade representativa de tipo muito particular, de profissionais que não mais exerciam a profissão ou que estavam em vias de deixar de exercer. Acreditamos que, por isso mesmo, os discursos produzidos e as práticas desenvolvidas pelos seus membros são lugares privilegiados para se investigar os processos de construção da identidade profissional do jornalista.

Os "velhos jornalistas" – nas suas publicações – falavam, o tempo todo, de suas trajetórias profissionais e dos sentidos da sua profissão. Buscavam constantemente construir uma imagem de si, mobilizando uma série de representações específicas sobre o jornalismo. Além disso, eles se propunham – consciente e intencionalmente – a promover suas recordações individuais e construir uma história da profissão.

A OVJ era essencialmente uma instituição de memória. As práticas mnemônicas exerciam no interior da entidade um lugar privilegiado. Era para lembrar – e em torno da lembrança consagrar a união do grupo – que os "velhos jornalistas" se reuniam.

Ao trabalhar, portanto, com os discursos produzidos pela OVJ através de suas publicações, procuramos perceber como esses velhos profissionais de imprensa desenvolveram normas e valores sobre a sua profissão e como, através deles, produziam sentidos e construíram legitimações para si mesmos. Buscamos, enfim, identificar alguns elementos que parecem apontar para a criação de uma imagem dominante sobre a profissão e sobre a velhice. Imagem que, claro, se construiu e se reconstruiu continuamente em meio a lutas, esquecimentos e silenciamentos[3].

---

[3] Identidade, tal como entendemos, portanto, não remete à essência de um indivíduo ou grupo, mas a consensos provisórios construídos em torno de certas imagens e valores. Cf. Pollak, 1992.

Não se pode perder de vista a dimensão conflitual de todo processo mnemônico e identitário. Ainda que a Ordem abrigasse um grupo homogêneo, a entidade mobilizava discursos e concepções divergentes. Além disso, a fala de um grupo social sempre se constitui no diálogo com o que está fora dele. A memória se constitui sempre num campo de disputa, de luta e negociações pelos sentidos do passado. Lembrar – como já nos ensinou Michel Pollak – é sempre selecionar (esquecer ou silenciar) e enquadrar. É sempre um trabalho que consiste em privilegiar acontecimentos, datas, personagens, dentro de determinada perspectiva. A memória pressupõe um verdadeiro trabalho de organização e, portanto, a *ação* dos sujeitos que lembram.

Não se pode também deixar de considerar que estamos falando de processos ocorridos no interior de uma entidade de tipo representativo. Interessa-nos, portanto, perceber como que, na OVJ, se deu um processo de construção do jornalismo como uma atividade profissional e como uma atividade associativa, pensando ambas as dimensões como extremamente importantes para a constituição do jornalista como um ator social.

Acreditamos que as entidades de classe, apesar de nunca terem – numericamente – mobilizado muitos jornalistas, tiveram um papel significativo na construção da sua identidade profissional. Ajudaram na percepção dos seus interesses próprios, tanto políticos quanto sociais, funcionando também, para alguns, como espaços de sociabilidade importante. É, sobretudo, sobre este último aspecto que concentramos nossa análise, uma vez que nos debruçamos sobre um tipo de entidade profissional muito particular, agregadora de indivíduos, na sua maioria, já afastados de suas atividades.

## O que era a Ordem dos Velhos Jornalistas?

A Ordem dos Velhos Jornalistas, como já dissemos, foi fundada em 28 de março de 1957. Foi ideada por antigos sócios da ABI, como Hélio Silva, Belfort de Oliveira, Manoel Coureiro de Magalhães e o próprio Herbert Moses, presidente da entidade[4]. Foram, na verdade, 68 membros da chamada "ala dos veteranos" que se uniam e reuniam "*para confraternizar-se, mas também para escrever a História do Jornalismo*".

Fundada em 7 de abril de 1908, a ABI foi o primeiro organismo corporativo do jornalista brasileiro. As suas preocupações iniciais não eram reivindicatórias, mas de caráter assistencial. Entre os seus objetivos, estavam manter caixa de pensões e auxílio para os sócios e suas famílias, estabelecer serviços de assistência médica e farmacêutica e instituir o "Retiro da Imprensa", com enfermaria e residência para idosos. A primeira entidade jornalística de caráter nacional mais reivindicatório e combativo, o Sindicato dos Jornalistas Profissionais do Rio de Janeiro, surgiu apenas em 1935.

No momento em que a Ordem dos Velhos Jornalistas foi criada, na década de 1950, já existiam muitas e variadas entidades de representação profissional. Além da ABI e do Sindicato, havia a Associação Guanabarina de Imprensa, o Clube dos Repórteres Políticos, a Associação dos Cronistas de Turfe, a União dos Profissionais de Imprensa, a Associação dos Cronistas Carnavalescos, a Associação Brasileira de Jornalistas e Escritores de Turismo, a Associação dos Repórteres Esportivos, o Sindicato dos Radialistas, a Associação dos Repórteres Fotográficos, a Associação dos Cronistas Desportivos e a Federação dos Jornalistas Profissionais.

Nessa época, mais especificamente em 1955, houve também a tentativa de se criar uma outra entidade: a Ordem dos Jornalistas Brasileiros. O presidente Café Filho submeteu a proposta (através do projeto n. 638) ao Congresso Nacional, salientando que atendia à necessidade de criação de um órgão disciplinador da categoria e que viria não somente consolidar a ética profissional, mas ainda estabelecer medidas seletivas e acauteladoras da liberdade de imprensa. O artigo n.5 do projeto afirmava que a inscrição na OJB seria requisito indispensável para o

---

[4] Herbert Moses foi presidente da ABI de 1936 a 1964.

exercício da profissão, substituindo o registro profissional até então a cargo do Ministério do Trabalho, Indústria e Comércio (AnBI 1955: 44-45)[5].

A maioria dos profissionais de imprensa repeliu a idéia de criação da OJB. A desaprovação quase geral se deve ao fato de que a Ordem representava uma intrusão "de fora" nas determinações da categoria e, em última instância, significava uma ameaça à sagrada liberdade de imprensa. Como afirmou o manifesto do Sindicato, "*todos os problemas de interesse da coletividade jornalística devem ser debatidos e resolvidos pelas associações e sindicatos, sem interferências estranhas*" (PN, 05/2/1956).

A Ordem dos Velhos Jornalistas, objeto de nosso estudo aqui, nada tinha a ver com a proposta da OJB, pelo menos até onde pudemos perceber. Em nenhum momento, a entidade procurou se constituir numa instância de controle do exercício e da ética profissional. Sua proposta era outra. Até porque não falava em nome de toda a categoria, os "jornalistas brasileiros", mas apenas em nome de parte dela, os "velhos jornalistas", cuja maioria dos representantes nem mais exercia efetivamente a profissão.

A Ordem dos Velhos Jornalistas se autodefinia como organização de tipo cultural e de confraternização dos profissionais de todos os meios de comunicação. Era uma espécie de entidade irmã da ABI, que, desde o primeiro momento, estabeleceu como seu principal objetivo o "culto ao passado" e o projeto de elaboração de uma história da imprensa brasileira. A entidade, no entanto, tinha também um caráter fortemente político, ligado – como veremos – à luta pelos direitos civis dos idosos.

[5] A OJB não era exatamente uma novidade. Já em 1934, através do decreto 24.776, Getúlio Vargas já tinha tentado criar a entidade, que seria um órgão de disciplina e seleção de classe. Os jornalistas, entretanto, jamais se interessaram pela sua regulamentação e pela existência efetiva da Ordem, tanto que pelo decreto 2.083, de 1953, foi revogado aquele dispositivo.

## Os sentidos da profissão no contexto de modernização

Nos textos publicados no *Boletim* e na *Gazeta* da OVJ, pudemos perceber que a produção de representações sobre o jornalismo se deu em torno de algumas categorias específicas. A principal delas talvez tenha sido a de liberdade de imprensa. A questão é, de maneira geral, muita cara a jornalistas de diferentes perfis e de diferentes épocas. Trata-se de um importante elemento de luta em torno da qual se construiu e reconstruiu a identidade profissional.

Danton Jobim comenta que a luta pela liberdade de imprensa é um lugar comum dos jornalistas:

> "Ela é sempre referida, quando nós estamos reunidos. E há uma razão especial para isso: é porque nós não podemos exercer devidamente, corretamente, exemplarmente a nossa profissão, sem que exista liberdade de expressão e de divulgação da opinião e da notícia" (GOVJ, jan. 1976).

A liberdade de imprensa é pensada como um pré-requisito fundamental para que o jornalista possa exercer sua principal função social: o relato independente dos fatos. E, aqui, temos um segundo conjunto de valores em torno do qual a representação do jornalista se constrói. O jornalista é apresentado como um servidor do público e como um vigilante dos poderes instituídos. Ele é o defensor da verdade, da independência, da imparcialidade.

Os membros da OVJ investem a imprensa e os jornalistas de uma série de orientações de conduta e de valores que legitimam e dão sentido ao seu papel na sociedade.

Nos textos, os jornalistas assumem uma posição altruísta, representando-se como lutadores idealistas. É como se tivessem uma missão cívica, heróica, a desempenhar.

A idéia de uma entrega total à profissão é também uma imagem constante. Os "velhos jornalistas" sempre contam que dedicaram toda a sua vida ao trabalho, abrindo mão muitas vezes do lazer e do convívio com a família. Há sempre um certo orgulho pelo esforço e dedicação empreendidos na profissão. Toda essa devoção é apresentada como desinteressada, não proporcionando ao jornalista nenhum benefício material. Um texto publicado na *Gazeta* em julho de 1973, depois de falar em "grandeza da vocação", "sacerdócio", "apostolado", "idealismo do jornalismo autêntico", afirma:

> "Jornalismo é vocação. Jornalismo é força no berço. O jornalismo é como o poeta: já nasce. Não confundir o jornalista com o carreirista. O jornalista morre jornalista. O carreirista termina num grande emprego público. Numa sinecura. O jornalista geralmente morre pobre como viveu. O carreirista rico, como sonhou."

A OVJ faz eco, em suas publicações, a sentidos exaustivamente produzidos sobre o jornalismo em outras esferas da vida social. Reproduz imagens e valores dominantes sobre a profissão, a maioria parecendo girar em torno do respeito à liberdade e do compromisso com a verdade. É como se o avanço da idade e o afastamento das redações, paradoxalmente, instaurassem um reforço nos códigos da profissão.

É importante observar que a Ordem dos Velhos Jornalistas foi criada num momento bastante particular da história da imprensa brasileira, sobretudo carioca. Nesse período, o modelo norte-americano se implantou de maneira hegemônica no jornalismo nacional, provocando não só a modernização das empresas e dos textos, mas também a profissionalização dos jornalistas e a constituição de um ideário sobre o que era o jornalismo e a sua função social. Foi a época das famosas reformas redacionais, gráficas e editoriais de periódicos como o *Diário Carioca* e o *Jornal do Brasil*, assim como do surgimento de jornais inovadores, como a *Última Hora*.

As reformas e a inovação dos jornais nos anos 1950-60 quase sempre começavam com a renovação da equipe. Na contratação dos jornalistas, evitava-se a geração mais velha, acostumada às antigas técnicas que se queria superar. Em geral, dava-se preferência aos mais jovens, mesmo que estes tivessem pouca ou nenhuma experiência profissional.

As equipes contratadas para reformar os diferentes jornais eram compostas de profissionais entre 20 e 30 anos. Com pouco tempo de redação, esses jovens já assumiam cargos de chefia. Evandro Carlos de Andrade, por exemplo, substituiu Pompeu de Souza na chefia de redação do *Diário Carioca* aos 24 anos de idade. Na revista *Publicidade e Negócios* de 20/5/1958, Alberto Dines escrevia a esse respeito: "*Quantos repórteres acima dos trinta anos temos nós? Talvez apenas dois: Edmar Morel e David Nasser.*" Os mais jovens eram preferidos porque – ao não trazerem os velhos vícios da profissão – se adequavam melhor às novas técnicas do jornalismo moderno.

Não se imagine, entretanto, que a OVJ se posicionasse contra a chamada modernização da imprensa. Vários textos das suas publicações exaltavam o modelo do jornalismo norte-americano, em detrimento do antigo jornalismo "empírico, amadorístico, romântico e improvisado", "primário e incipiente".

No texto intitulado "Jornalismo de ontem e hoje", Alves Pinheiro chama a atenção para as vantagens da imprensa sujeita a métodos e à racionalização, que exigem do profissional dinamismo técnico e intelectual:

> "A nossa imprensa consolidou-se em suas bases propriamente industriais, adquiriu a verdadeira estrutura de indústria, aparelhada tecnicamente, beneficiando-se de todos os progressos da comunicação para apresentar agora um quadro de atualização, desenvolvimento de que todos nós, profissionais, devemos orgulhar-nos" (*BMOVJ*, jan. 1973).

É fácil entendermos a posição defendida se nos perguntarmos quem eram, afinal, os "velhos jornalistas" que fundaram e que freqüentavam a OVJ. Além dos já citados Herbert Moses, Hélio Silva, Belfort de Oliveira, Manoel Coureiro de Magalhães e Alves Pinheiro, também faziam parte do grupo homens como Danton Jobim, Raul Pilla, Austregésilo de Athayde, Barbosa Lima Sobrinho, Celso Kelly, Bastos Tigre, Álvaro Cotrim (Alvarus) e Crestes Acquarone. Todos eram profissionais renomados, que tinham assumido no passado (ou continuavam a assumir) posições de destaque nos principais veículos de comunicação do país. Alguns deles, como Danton Jobim, estavam diretamente ligados às reformulações da imprensa.[6]

Esse perfil do "velho jornalista" carioca se repetia em outros lugares do país. Em setembro de 1968, mais de 11 anos depois da criação da OVJ no Rio de Janeiro, o boletim mensal da entidade anunciava a criação de um "rebento" na capital paulista. A Ordem dos Velhos Jornalistas de São Paulo foi criada em 17 de agosto. A iniciativa, mais uma vez, foi promovida por figuras de peso da imprensa, como Carlos Rizzini, João Sampaio, Menotti Del Picchia, Nabatino Ramos, Freitas Nobre, Paulo Amaral de Mello, Heitor Jorge Simões e outros. Todos os fundadores – como a publicação fez questão de sublinhar – tinham mais de 25 anos de profissão.

Ainda que alguns textos do *Boletim* e da *Gazeta* da OVJ exaltassem o jornalismo moderno, também estava presente nessas publicações uma certa nostalgia pelo "saudoso jornalismo boêmio". Nas lembranças, até as adversidades ganhavam um colorido especial, que, em última instância, destacava o caráter heróico do jornalista:

> "Não tínhamos horário. Nem férias. Nem salário mínimo. Nem nada. Mas sobrava-nos amor. Entusiasmo. Vocação delirante. Deslumbramento profissional. Éramos capazes de tudo sem exigirmos nada, senão a glória de um "furo". O triunfo de uma reportagem espetacular. Trabalhávamos dia e noite. Extraordinário? Pois se nem sabíamos em que mês e ano receberíamos o salário... Era o clássico regime dos vales pingados, suados, reclamados. Implorados" (*GOVJ*, julho 1973).

É importante notar que as publicações da OVJ, apesar de apresentar sentidos dominantes sobre a profissão, não representavam os jornalis-

---

[6] Danton Jobim era diretor da histórica redação do *Diário Carioca* e foi – ao lado de Pompeu de Souza e Luís Paulistano – um dos principais promotores da reforma do jornal.

tas de forma homogênea. Havia uma clara percepção das diferenças sociais e hierárquicas no interior do campo profissional. Ao mencionar, por exemplo, o antigo sistema de pagamento – ainda baseado nos vales – da *Gazeta de Notícias*, Belfort de Oliveira afirma:

> "Havia os ricos, que não faziam questão de receber. Os funcionários públicos com o pão garantido. Os intelectuais, como Pedro Calmon, que se sentiam pagos assinando, destacadamente, as colaborações. E os pobres diabos, sem eira nem beira, como Mário Hora, Evaristo da Fonseca, Alves Pinheiro e tantos outros" (*GOJV*, julho 1973).

A fala de Belfort de Oliveira expressa uma divisão comum na representação do jornalista na primeira metade do século XX. Existiam no imaginário da imprensa brasileira basicamente dois tipos de profissionais: os redatores/ricos e os repórteres/pobres. Os primeiros eram os editorialistas e os articulistas, que – fosse através dos artigos de fundo, fosse através de matérias comuns – expressavam a opinião do jornal e, às vezes, a sua própria. Eram geralmente nomes conhecidos, homens de cultura literária ou política, que influenciavam a opinião pública e, muitas vezes, criavam grandes polêmicas. Eram homens que se vestiam elegantemente e freqüentavam gabinetes ministeriais, além de ter fácil trânsito na alta sociedade.

Os repórteres eram os plantonistas das redações, que cobriam o noticiário do dia, como incêndio, desastres, crimes, falecimentos. Eles ganhavam pouco e se vestiam mal, não sendo jamais recebidos nos salões da burguesia e da nobreza. Às vezes também escreviam matérias, mas raramente as assinavam. "*Eram cidadãos de segunda classe, quase marginais, cujo estereótipo era um homem mal barbeado, bebendo no bar embaixo da redação, em plena madrugada*" (Accioly, 1998: 106).

## Os sentidos da velhice e o lugar da memória

Nos relatos dos "velhos jornalistas" publicados no *Boletim* e na *Gazeta* aparecem, associados aos sentidos da profissão, os sentidos da velhice. Aliás, no caso da OVJ, é quase impossível dissociar esses dois aspectos. É justamente através da velhice que se reforçam (e se exaltam) as imagens dominantes da profissão. A velhice é apresentada como a guardiã dos valores mais caros ao jornalismo. Ao mesmo tempo, o jornalismo é uma dimensão fundamental através da qual os idosos reconstroem a si mesmos. É a profissão que agrega à velhice sentidos de dignidade e orgulho, fornecendo elementos de unidade, coerência e continuidade, indispensáveis para a constituição do grupo.

Nesse sentido, é bastante emblemático o discurso proferido por Barbosa Lima Sobrinho no momento de votação da proposta de Aderson Magalhães e Paulo Magalhães para que fosse trocada, no nome da entidade, a expressão "velhos" por "veteranos". Afirmou ele:

> "Compreendo muito bem que ninguém possa ter prazer em chamar-se "velho", embora seja grande a distância entre as duas expressões, a de "velhos-jornalistas" e a de "jornalistas-velhos". (...) a expressão "velho-jornalista" indica antiguidade na vida profissional e não a idade alcançada. Acho, por isso, mais simpática a expressão "velhos-jornalistas" do que a de "veteranos", que não exclui certa pretensão e um jeito de arrogância, que não fica bem a quem começa a encontrar, diariamente, novos cabelos brancos" (*BMOVJ*, set. 1967).

A questão do uso do termo "velho" na denominação da OVJ retornou em vários momentos da existência da entidade. Havia uma certa resistência por parte de alguns membros, que volta e meia propunham uma substituição. Uma sugestão – também prontamente rechaçada pela diretoria – foi que se usasse a expressão "antigos jornalistas".

> "Antigos jornalistas são os ex-jornalistas, os que esqueceram a profissão com a qual não se identificaram, aduziu Hélio Sil-

> va. E ajuntou: *Os "velhos jornalistas" envelheceram fiéis a uma formação, a uma ideologia que caracteriza o jornalista mais até do que o exercício ininterrupto ou a ocupação continuada do emprego*. Tenhamos coragem de proclamar *a velhice como ela é. Uma ascensão, uma elevação, a conquista da serenidade, acima das paixões que se sublinham, sem perder a sua grandeza!*" (*BMOVJ*, jan. 1969, grifos nossos).

Na verdade, o que percebemos é que se travou uma verdadeira batalha semântica em torno da denominação "velho". Em 1973, a questão continuava a provocar polêmicas, e ainda havia aqueles que defendiam a mudança do nome da Ordem. Belfort de Oliveira defendia a sua manutenção e argumentava veementemente:

> "Não há porque [*sic*] trocar, por **veteranos** ou **antigos**, o nome que, ostensiva e orgulhosamente, pusemos no pórtico da nossa confraria. Velhos jornalistas, sim, que tudo deram, em esforços, para chegar a esta velhice profissional, com direito ao repouso do corpo e da alma. Cada idade tem a sua mocidade, disse-o em versos Bastos Tigre. Nossa mocidade é a fé, conclui Celso Kelly, o encantamento pela grandeza da nossa profissão" (*GOVJ*, out. 1973).

Velhice era um termo socialmente investido de conotações pejorativas e, por isso, alguns resistiam à denominação. No mundo de supervalorização do tempo e da produtividade, o velho é um pária, um inútil, um fardo. Mas era justamente um deslocamento em relação a este campo semântico que a OVJ queria realizar. Resistia-se intensamente às representações usuais que associam velhice à decadência, à incapacidade, à inutilidade. A velhice é apresentada, pelo contrário, como ascensão, conquista da serenidade. A idéia da juventude é relativizada enquanto um dado cronológico e pensada como um estado de espírito, associado à manutenção da atividade intelectual. Daí ser tão importante para eles a conservação do *status* profissional. Mesmo afastados do dia-a-dia das ruas e do burburinho das redações, os membros da OVJ ainda se apresentavam como jornalistas. E a memória era justamente o lugar estratégico através do qual eles reconstruíam essa identidade profissional.

A velhice é considerada o tempo, por excelência, da memória. É o momento em que, afastado das demandas cotidianas da profissão, o indivíduo pode parar para pensar sobre o seu passado. O presente já não o solicita com tanta intensidade e ele pode dispor de mais tempo para a atividade reflexiva. Agora, ele pode se ocupar consciente e atentamente da sua história.

Parte importante da bibliografia sobre memória sublinha o papel singular que essa prática ocupa na idade avançada. É na velhice que a evocação do tempo pretérito se dá com mais ênfase. Isto se explica pelo lugar que o idoso ocupa nas sociedades modernas. Maurice Halbawchs afirma que o que rege efetivamente a atividade mnemônica é a função social exercida, no presente, por aquele que lembra. Quando o sujeito deixa de ser um membro ativo da sociedade, deixa de ser um propulsor da vida do seu grupo, resta-lhe lembrar, ser a memória do grupo. Para o idoso, lembrar seria quase que uma espécie de obrigação social, que não pesa sobre os homens de outras idades (Bosi, 1990: 63).

É claro que memória é sempre construção e, portanto, o passado sofre "desfigurações" ao ser remanejado pelas idéias do presente de todos os velhos, inclusive dos "velhos jornalistas". As suas lembranças e biografias individuais – publicadas no *Boletim* e na *Gazeta* da OVJ – são recompostas e o passado do grupo é remodelado a partir de padrões e valores vigentes.

A memória dos "velhos jornalistas" – afastados da atividade profissional – denota a busca pela auto-estima e um anseio por reconhecimento social. Trata-se da tentativa de construção de uma identidade digna de nota. Está presente, aqui, a preocupação com a perpetuação de uma imagem gloriosa do grupo, o desejo de representar como relevante a profissão do jornalista e, por extensão, a vida daquele que se dedicou a ela.

> "Unindo-nos e reunindo-nos, nós, os velhos jornalistas – os que, ainda, fazem da imprensa a sua principal atividade e os que, embora afastados da 'banca', conservam esse título como 'panache' – vimos procurando *reviver o bom tempo das lutas que travamos juntos* e, simultaneamente, *promovendo comemorações e homenagens, criando láureas e distinguindo jornalistas que atingiram etapas destacadas na profissão*, desenvolvendo dessa forma o ideal que animou o surgimento de nossa Ordem, qual o de *tornar bela a legenda dos que souberam fazer de uma longa vida profissional motivo de elevação espiritual e serviços à coletividade"* (*BMOVJ*, nov. 1967, grifos nossos).

O texto do *Boletim* não deixa dúvidas. A memória que a OVJ quer ativar é aquela das comemorações e das homenagens, das láureas e da distinção, da exaltação e do congraçamento. Emblemático desta lógica é o prêmio "Mérito Jornalístico", idealizado pela OVJ e instituído pelo decreto nº 52.206, de 28 de junho de 1963, pelo governo federal. Em forma de condecoração, o prêmio era conferido anualmente a jornalistas nacionais e estrangeiros que se tornassem merecedores de "alta distinção". A concessão do "Mérito Jornalístico" ficava a cargo de um conselho de 15 membros, presidido pelo presidente da Ordem.[7]

A OVJ criou também o Dia do Jornalista, a ser comemorado em 7 de abril. A proposta foi apresentada à Assembléia Legislativa da Guanabara, pelo deputado Frederico Trotta (membro da Ordem), atra-

---

[7] O prêmio era, inicialmente, dividido em oito categorias: Política (nacional ou estrangeira), Literatura e Artes (crônica e crítica), História e Biografia, Economia, Fotografia, Esportes, Rádio, TV e Teatro e Direção Jornalística. Posteriormente, foram também criados mais dois tipos de homenagens: a de "Jornalista Emérito", que foi conferida a nomes como Assis Chateaubriand, Paulo Maranhão e Herbert Moses, e a de "Mérito Jornalístico", conferido a "ilustres damas" dirigentes de órgãos da imprensa, como Niomar Moniz Sodré Bittencourt (*Correio da Manhã*), Condessa Pereira Carneiro (*Jornal do Brasil*) e Ondina Dantas (*Diário de Notícias*).

vés da lei 1.867, de outubro de 1970. Sete de abril tinha uma significação especial. Era a data de fundação – em 1908 – da ABI.

A Ordem teve várias realizações nesse mesmo sentido. Mas seu principal projeto era o de construir a história do jornalismo brasileiro. Esse objetivo, como já dissemos, definiu a própria criação da entidade e foi constantemente referenciado, ao longo dos anos, nas suas publicações. Já no seu estatuto, artigo n. 8, a OVJ estabelecia que todo membro deveria escrever e entregar à secretaria da entidade sua autobiografia jornalística, historiando seu ingresso na imprensa, narrando os episódios mais interessantes que viveu, dando sua opinião sobre o meio jornalístico e sobre as principais figuras dos jornais em que trabalhou. Afirmava-se que os dados coletados seriam organizados e constituiriam elementos subsidiários para compor a história do jornalismo.

Nos seus primeiros dez anos de funcionamento, a OVJ conseguiu reunir um número reduzido de narrativas, a maioria das quais ficaram guardadas nos seus arquivos. Em 1968, entretanto, agora já possuindo órgão de difusão próprio, a entidade iniciou nova coleta de narrativas e publicou várias delas. Ao longo dos anos, diversas seções foram criadas nos periódicos para este fim. Em abril de 1973, a *Gazeta* lembrava aos seus membros: "*Veteranos todos, testemunhas que fomos de uma época, vivida e sentida através das colunas periódicas, ninguém melhor do que nós saberá revelá-las aos que chegaram depois*".

A memória dos "velhos jornalistas" se mantinha ativa não apenas nos seus relatos escritos. Eram, sobretudo, nos "Plantões de Redação" – reuniões e almoços, realizados na última quarta-feira de cada mês – que os membros da OVJ relembravam o seu passado. Reunidos, enquanto membros de um grupo, eles conversavam durante muitas horas e, assim, lembravam e negociavam visões a serem compartilhadas sobre o passado e sobre a sua profissão.

O passado imprimia sentido a um presente moroso do "velho jornalista". Falar de si é uma necessidade imperiosa frente ao silêncio e ao ocaso a que socialmente ele era relegado. O desejo que o motivava a se encontrar com os colegas e a falar sobre si mesmo e sua profissão vinha da sua realidade concreta de desvalorização social e de isolamento. O sentimento de pertencimento a um grupo de jornalistas era, para os membros da OVJ, um símbolo de *status*. A profissão funcionava como um elemento incorporador, um espaço de construção de pertencimento.[8]

O ato do encontro e o ato da fala sobre o passado operavam mudanças sobre esses sujeitos (membros da OVJ) e sobre suas identidades. A memória – ativada, sobretudo, no ritual quase sagrado do encontro da última quarta-feira do mês – transformava esses seres "hipossuficientes", "marginais", em portadores de uma experiência única, detentores de prestígio. Os "velhos jornalistas" se representavam como figuras heróicas, generosas, que podiam dar lições de vida às gerações mais novas.

As memórias individuais funcionavam como fonte de orgulho e autoestima, na medida em que essas trajetórias eram relembradas como exemplares não apenas dos sujeitos singulares que as viveram, mas dos valores que pautavam o grupo e que davam dignidade à profissão. Por outro lado, a memória da profissão era uma dimensão essencial da biografia daqueles indivíduos. O jornalismo aparecia como aquilo que dava sentido às suas vidas. Os sujeitos dimensionavam suas trajetórias pessoais como continuidades em relação à trajetória do seu grupo profissional.

A memória aparece aqui, portanto, como uma estratégia de afirmação social do idoso. O "velho jornalista" trava uma luta simbólica em torno de um duplo reconhecimento: como profissional e como velho.

Ser "velho jornalista" é ser ainda jornalista e não ex-jornalista. Ao ingressar na OVJ, o que se queria era continuar a ser um profissional, ainda que afastado da atividade das redações. A máxima da entidade é de que o jornalista é sempre jornalista, em qualquer situação, em qualquer idade, esteja ou não em exercício. Segundo Raul Pilla:

---

[8] A memória – como a bibliografia sobre o tema já discutiu exaustivamente – é um dos elementos fundamentais na constituição das identidades coletivas. O trabalho da memória dá a cada membro do grupo o sentimento de unidade, de continuidade e de coerência, não apenas no sentido físico, mas também moral e psicológico.

> "Somos todos *jornalistas entre jornalistas, velhos entre velhos.* Já é grande coisa ser-se jornalista, jornalista na antiga expressão da palavra, jornalista que de sua arte faz profissão, porque precisa viver, mas dela, também, faz missão. Ainda maior, porém, é ser-se *velho jornalista, isto é, um homem que, na prosperidade e na adversidade, no fausto ou na miséria, permaneceu fiel a sua vocação*" (*BMOVJ*, jan. 1969, grifos nossos).

Danton Jobim comenta que, quando da sua primeira indicação ao senado, fez questão de salientar que só aceitaria o cargo se fosse um "jornalista-senador" mais do que um "senador-jornalista". Diz ele:

> "*Eu* deveria ser o que realmente sou, *isto é, eu deveria ser autêntico, eu deveria prolongar na tribuna parlamentar aquilo que havia feito na minha trincheira política de jornalista*" (GOVJ, jan. 1976).

E continua:

> "São velhos evidentemente, pelo decurso do tempo sobre a sua longa atividade, pelo tirocínio que adquiriram através do exercício prolongado da profissão, mas não são velhos, evidentemente, pelo espírito, pelos ideais que, sem dúvida, continuam a abrigar no mais íntimo do coração, e que os fazem reunir-se nesta hora ainda em torno desta mesa, exatamente para lembrar que *eles gostariam de ser perenemente jornalistas. Se há uma profissão na qual se entra e da qual dificilmente se sai, é esta. Ninguém quer ser chamado de ex-jornalista.* (...) Aqui nós reunimos *um grupo que, evidentemente, pretende preservar o espírito da profissão. Não é, propriamente, um grupo que pretende renovar a profissão.* Alguns, é verdade, estão em plena atividade, outros já a deixaram, *mas todos estão convencidos de que ser jornalista é, além de uma honra que nos desvanece, uma íntima satisfação, aquela de pertencer a um grupo de profissionais que sempre teve e cultuou o espírito corporativo.*

> *Os jornalistas brigavam entre si, mas sempre se uniam quando se tratava de defender as grandes causas que protegiam o livre exercício da profissão"* (grifos nossos).

Para Danton Jobim, a missão histórica da Ordem era manter o espírito do jornalismo, através de confraternização e de preservação do sentido de classe. E é nesse sentido que a OVJ vai defender o que é chamada de "velhice profissional", ou seja, a continuidade da atividade intelectual do jornalista:

> "*A ocupação do tempo livre na velhice é problema dos mais sérios que recebem as novas gerações e o Estado* com o aumento, cada vez maior, do número de pessoas idosas, graças aos largos progressos da Ciência. *O organismo social marginaliza o homem da vida coletiva antes do tempo, num verdadeiro processo de eliminação, colocando os velhos na categoria de hipossuficientes.*
>
> Nosso lema, acima de tudo, é aquele do famoso diálogo "De Senectute", onde o gênio do famoso tribuno afirma que *as ocupações da velhice não são as mesmas da juventude. São mais doces e mais importantes. O talento não abandona os velhos*, desde que estes não abandonem os estudos e o trabalho. *Afastado da vida ruidosa das redações e das oficinas gráficas, o jornalista tem o direito de atingir a essa "velhice-profissional", se assim pode chamar-se a continuação de sua atividade intelectual*, e, *com a experiência, sabedoria e prudência adquiridas influir junto aos moços na preservação da ética, da liberdade e da dignidade do exercício da nobre profissão"* (*BMOVJ*, set. 1968, grifos nossos).

## A OVJ como espaço de convivência

Os "Plantões de Redação" eram uma das atividades mais importantes da OVJ. Eram os encontros que os membros da entidade faziam toda última quarta-feira de cada mês. Eram almoços de congraçamento e confraternização, realizados no restaurante da ABI, nos quais se conversava e se debatia sobre diferentes assuntos, se anunciavam eventos e decisões da entidade e se lembravam os velhos tempo da profissão.[9]

Esses encontros mensais faziam da Ordem dos Velhos Jornalistas um importante lugar de sociabilidade, de encontro, de bate-papo e de discussões. Eram exatamente nesses espaços de convívio, de trocas de informações e de memórias, que – como já dissemos – se reafirmavam os laços de coesão do grupo. Examinando as publicações da OVJ, vê-se que a idéia de uma convivência fraterna e afetuosa é sempre realçada. A fala de Barbosa Lima Sobrinho, que reproduzimos a seguir, é nesse sentido emblemática e contundente:

> "Acredito na juventude espiritual e uma de suas manifestações é o *gosto pela convivência com os companheiros de nossa vida de jornalistas*. Muitos dos que começamos entre 1910 e 1925 não estamos mais no batente. *Os almoços da última quarta-feira de cada mês conseguem trazer de volta os companheiros que não esquecemos. É como se fosse uma hora de saudade, o único meio de tornar a ver um grupo de amigos que a vida separou, antes que apareça o convite para o último encontro, nas capelas dos cemitérios.*
>
> *Pode Belfort se bater para que outros destinos e outras afirmações testemunhem a utilidade da Ordem dos Velhos Jornalistas. Para mim, que já aprendi a olhar a vida com um pouco de saudade, basta-me essa missão, que ela vem exercendo, no esforço para aproximar amigos e companheiros de outros tempos e para fazer ressurgir, diante de todos, um pouco desses dias passados*" (*BMOVJ*, set. 1967, grifos nossos).

9 Todos os números do *Boletim* ou da *Gazeta* tinham uma seção chamada "Plantão-de-Redação", em que era descrito, nos mínimos detalhes, tudo o que tinha acontecido na última reunião de quarta-feira.

A consciência do fim iminente trazia o desejo da convivência com os antigos companheiros, somado à vontade de falar e de lembrar em conjunto. E essa vontade coletiva de reviver as lembranças por meio da sociabilidade era marcada por uma relação fortemente emocional, como tão enfaticamente sublinha o texto que se segue:

> "A mesa foi sempre a melhor maneira de agrupar amigos e companheiros. Ali – nos já tradicionais Plantões-de-Redação da última quarta-feira do mês – encontram-se, por vezes, colegas tão distantes, no tempo e no espaço, como aqueles que, especialmente, vêm chegados do Norte ou do Sul, ou de cidades circunvizinhas. Alguns, retirados já da militança [*sic*], *experimentam nesse convívio a alegria dos velhos tempos.* Embora se fale de tudo, *lembram-se sempre dos acontecimentos passados na atividade profissional. A alegria dos velhos tempos e dos companheiros, também. Num dos Plantões iniciais, houve quem chorasse, presa de grande emoção, ao rever colegas diletos.*
>
> *São memórias vivas, não escritas, em que os grandes batalhadores da Imprensa constituem objeto de afetuosas recordações."*

Com isso, se vai levantando, aos poucos, a história do jornalismo, sem as pretensões dos livros exaustivos de pesquisa, mas com o calor dos testemunhos daqueles que ainda podem contar e, muito especialmente, sabem fazê-lo, com graça e espontaneidade.

> *"O homem se mistura com a saudade. E aqueles que desapareceram não voltam como fantasmas mas como criaturas cujas recordações as integram na intimidade daquelas horas agradáveis"* (*BMOVJ*, mar. 1970, grifos nossos).

Almoços da última quarta-feira do mês eram, na opinião de Barbosa Lima, um retorno ao passado, como uma visita aos companheiros de outros tempos, visitas cheias de recordações, que carregavam consigo muito de alegria e de juventude:

> "Que mal nos faz que o nome seja de velhice, se a essência é de mocidade, se os assuntos que ali nos interessam são os que dizem respeito aos dias que ficaram no passado, dourados por um sol que não nos parece o mesmo que brilha nos céus imutáveis" (BMOJV, jan. 1969).

Em março de 1970, o *Boletim* se perguntava o que era, afinal, a Ordem dos Velhos Jornalistas: um clube? Uma instituição cultural? Uma sociedade de classe? E respondia:

> "Nada disso e tudo isso. Ela é uma conseqüência informal, onde tudo de bom pode acontecer, desde um abraço, entre amigos, até um acontecimento cultural de alta transcendência. Não há pretensões, há boa vontade. *Não há lutas de quaisquer tendências*. Há, de fato, *o prazer do encontro*. Eis porque a continuidade da iniciativa se transforma numa bela *lição de fraternidade entre homens livres, cujo pensamento se mantém autêntico e cujo coração é, cada vez, mais sensível, porque a idade conduz à ternura*." (grifos nossos)

Era comum os textos negarem a idéia de conflito, enfatizando a harmonia que caracterizava o funcionamento da Ordem. Segundo uma outra edição do *Boletim* (set. 1968), os veteranos da imprensa se uniam e reuniam para "estreitar os laços de fraternidade da família jornalística, revivendo os bons tempos das lutas que travaram juntos, apagadas as aparentes desavenças, que só se refletem nas opiniões escritas".

É interessante essa referência ao fato de as desavenças só aparecerem nas opiniões escritas. Há aqui, claro, uma tentativa de amenizar os reais conflitos existentes na Ordem. Mas as divergências escritas ficavam registradas e, por isso, eram mais difíceis de ignorar. Em 1971, por exemplo, foi publicado o livro *O velho taxaua da Ordem dos Velhos Jornalistas*, escrito por Sylvio Terra, membro da OVJ. Trata-se de um libelo contra Belfort de Oliveira, um "inventário dos seus desmandos". O então secretário-geral da entidade era veementemente acusado de uma série de irregularidades, tanto nos processos eleitorais quanto no controle das finanças da Ordem.

## A luta pelo direito de envelhecer ou os soldados da imprensa morrem no fogo

A OVJ não era, entretanto, apenas um local em que um grupo de velhinhos se reunia para lembrar os bons tempos da sua profissão. A entidade também tinha uma dimensão fortemente política. Era também um instrumento através do qual esses idosos reivindicavam direitos e lutavam por reconhecimento.

O texto "Liberdade de envelhecer", escrito por Belfort de Oliveira e publicado no *Boletim Mensal* de abril de 1970, é bastante emblemático do caráter político da entidade. A afirmação da identidade profissional do jornalista, aqui, aparece diretamente ligada à luta pela cidadania do idoso. Segue um trecho:

> "Estamos trabalhando num projeto que visa a reduzir e, ao mesmo tempo, aproveitar o processo de envelhecimento humano. Através duma assistência permanente, com apoio nos organismos criados pela Ciência no campo da Gerontologia, conseguiremos manter a produtividade e a alegria de viver muito além dos 60 anos. A Medicina dilatou a média de vida humana acima desse número, quando em tempos idos não ultrapassava a casa dos 40.
>
> Afinal, *a idade é uma convenção*. A vida se divide, evidentemente, em fases que correspondem a fenômenos biológicos de crescimento, estabilidade, maturidade e involução. Mas, só se pode fixar o número de anos apreciando, isoladamente, os indivíduos. *Velhice não é doença*. Há jovens envelhecidos e velhos que dão a impressão de jamais terem amadurecido, velhos enxutos, no linguajar dos malandros.

> De outra parte, *há que aproveitar as virtudes da velhice, o grande cabedal de experiência adquirida*. Certo que as ocupações do homem velho não são as mesmas da juventude. Cícero as achou *mais doces e importantes*. E dizia *que o talento não abandonava os velhos, desde que estes não abandonem os estudos e os trabalhos. O que falta aos velhos é confiança em si mesmos*.
>
> Nesse sentido, *é trabalho da Ordem dos Velhos Jornalistas o combate a este estado de espírito, defesa da saúde física e da saúde mental, sobretudo contra a melancolia, que abate, e o preconceito de que a idade tirou todas as possibilidades de prazer da vida*.
>
> *Os organismos sociais marginalizam o homem da vida coletiva antes do tempo*. Não, apenas, o Poder Público, com o fatalismo da *compulsória inclemente*. *O comércio, a indústria fecham todas as oportunidades aos válidos de idade provecta*. Nada além dos 40 anos. *Os seres, assim postos, sentem-se inferiores, definham, fenecem*" (grifos nossos).

A OVJ se propunha a pressionar o Congresso Nacional a aprovar projetos de defesa dos direitos dos velhos e de amparo ao idoso. Partia-se do pressuposto de que velhice não era doença e que, portanto, senescência – entendida como uma etapa normal do ciclo da vida – não podia ser confundida com senilidade.

O *Boletim* de abril de 1971 menciona a elaboração de um trabalho sobre a problemática da velhice, a ser apresentado ao Congresso. O referido trabalho teria sido elaborado pelo senador Atílio Vivacqua e reajustado, após a sua morte, pelo gerontologista Mário Filizzola, membro da OVJ que "muito tem colaborado na *desmarginalização* dos velhos".

A OVJ lutava, portanto, contra a estigmatização do idoso e pela sua inserção ativa na sociedade. A *Gazeta* de outubro de 1973 se referia com simpatia à existência do Movimento Pró-Idosos e da Sociedade Internacional de Assistência e Proteção aos Idosos e criticava o governo e o empresariado nacional por desconhecerem ou ignorarem o referido movimento e a entidade. Afirmava que a velhice não era a conclusão necessária da existência humana e que o velho tinha de findar seus dias sem sofrer a degradação a que estava submetido. Finaliza citando Simone de Beauvoir: "A velhice é uma fase da existência, diferente da juventude e da maturidade, mas dotada de um equilíbrio próprio, que deixa aberta ao indivíduo uma ampla gama de possibilidades".

A situação de "marginalização" – caracterizada pelo progressivo afastamento do idoso das atividades intelectuais e produtivas – tinha sido agravada pela constituição de 1967, que estabelecia a aposentaria aos 70 anos de idade. A "compulsória" acabou afastando obrigatoriamente da redação alguns remanescentes das gerações antigas, muitos dos quais ainda se sentiam aptos a exercer a profissão.

A aposentadoria compulsória foi criticada em diferentes textos, tanto do *Boletim* quanto da *Gazeta*. Belfort de Oliveira, ao ser perguntado se ainda exercia a profissão de jornalista, conta que trabalhava como autônomo para completar os recursos da aposentadoria até que foi "obrigado pelo Governo (INPS) à solidão" (julho 1973).

No *Boletim* de dezembro de 1971, Austregésilo de Athayde fala sobre o sentido da luta a ser travada:

> "O que se exige é *a velhice digna*, aquela que assegura, depois das *lutas*, da soma de *sacrifícios* e *devotamento* despendidos, um repouso de corpo e de alma. *Cada velho jornalista sabe o que foi preciso curtir para ganhar esse título, o que cada um teve que dar de si, em esforços sem recompensas, para ter o direito de chegar a essa velhice profissional que, nas proximidades do fim, nos congrega a todos, tão cheios de ternura uns pelos outros.*
>
> *Somos um exército meio estropiado, não porém vencido*. Generais e soldados aqui se confundem e o posto não tem maior valia. O que importa, para o *respeito mútuo*, é a *dignidade com que o lutador se manteve na refrega, sendo fiel a si mes-*

> *mo e a seus ideais*. As cicatrizes da batalha estão invisíveis porque os golpes foram recebidos no coração e na alma, mas *ninguém jamais desistiu*" (grifos nossos).

Mais uma vez, a dimensão da convivência terna e afetuosa é mencionada. E, mais uma vez, os sacrifícios e o devotamento dedicados à profissão são exaltados. Mas, se o convívio fraterno e a devoção à profissão eram elementos importantes na construção da identidade do "velho jornalista", a capacidade de se manter na luta era também fundamental. E a luta que estava em jogo era a do velho para continuar a ser homem e a do ex-profissional para se manter jornalista.

A OVJ congregava um exército cheio de dignidade: estropiado, mas não vencido. Afinal, como afirmou Austregésilo de Athayde: "*Os verdadeiros soldados da imprensa morrem no fogo*". E esta, sem dúvida, é a maior glória de que se orgulham os "velhos jornalistas".

## Referências bibliográficas

ACIOLY NETO. *O império de papel*: *os bastidores de O Cruzeiro*. Porto Alegre: Sulina, 1998.

BARROS, Myriam Moraes Lins de Barros (org.). *Velhice ou terceira idade?* Estudos antropológicos sobre identidade, memória e política. Rio de Janeiro: FGV, 2000.

BEAUVOIR, Simone de. *A velhice*. Rio de Janeiro: Nova Fronteira, 1990.

BOSI, Ecléa. *Memória e sociedade*: *lembrança de velhos*. São Paulo: Cia. das Letras, 1994.

HALBWACHS, Maurice. *Memória coletiva*. São Paulo: Vértice, 1990.

POLLAK, Michael. Memória, esquecimento, silêncio. In: *Estudos Históricos*, 2, p.3. Rio de Janeiro, 1989.

________. Memória e identidade social. *In*: *Estudos Históricos*, 5, p.10. Rio de Janeiro, 1992.

LERNER, Kátia. Narrando a dor: a experiência de entrevistas com sobrevivente do Holocausto. *In*: POVOA NETO, Helion; FERREIRA, Ademir

Pacelli (orgs). *Cruzando fronteiras disciplinares*. Rio de Janeiro: Revan, 2005.

NAMER, Gerard. *Mémoire e societé*. Paris: Méridiens Klincksieck, 1987.

RIBEIRO, Ana Paula Goulart. *Imprensa e história no Rio de Janeiro dos anos 1950*. Rio de Janeiro: ECO/UFRJ, 2000.

SÁ, Adísia. *O jornalista brasileiro*: Federação Nacional dos Jornalistas Profissionais, de 1946 a 1999. Fortaleza: Ed. Fundação Demócrito Rocha, 1999.

SEGISMUNDO, Fernando. *Comunicação*: do tijolo ao lêiser. Rio de Janeiro: Unigraf, 1995.

TERRA, Sílvio. *O velho taxaua da Ordem dos Velhos Jornalistas*. Rio de Janeiro, 1971.

**Periódicos**

*Anuário Brasileiro de Imprensa* – 1955. (AnBI)

*Boletim Mensal da Ordem dos Velhos Jornalistas* – de 08/1967 a 02/1973. (BMOVJ)

*Gazeta da Ordem dos Velhos Jornalistas do Brasil* – de 03/1973 a 12/1984. (GOVJB)

*Publicidade e Negócios* – 05/2/1956 a 29/12/1958.

# Palavra de ordem no jornalismo contemporâneo: a representação midiática da responsabilidade social empresarial

*Lucia Maria Marcellino de Santa Cruz*[1]

Tema cada vez mais comum no jornalismo brasileiro, a responsabilidade social empresarial é um assunto que surgiu no cenário nacional a partir de meados da década de 1990. Inicialmente circunscrito aos jornais especializados em economia e finanças, o movimento rapidamente deixou as páginas econômicas e a pecha de mais uma "moda" da literatura de negócios e administração para ganhar suplementos especiais, programas de rádio e cadernos exclusivos. Esta transferência de editoria trouxe mais visibilidade para atividades empreendidas por empresas de todos os portes em prol do "social".

Com a diminuição do papel e do tamanho do Estado em praticamente todos os países ocidentais, o questionamento sobre qual deve ser a função social das empresas é cada vez mais recorrente. Este cenário está presente de forma intensa na América Latina, especialmente no Brasil, onde os problemas sociais têm dimensão política e vêm, em diferentes graus, pautando a região e levando a arranjos locais que envolvem a participação empresarial.

---

[1] A autora cursa o Doutorado em Comunicação e Cultura da ECO/UFRJ.

O discurso da responsabilidade social empresarial sugere claramente a rearticulação do papel das empresas na sociedade, remetendo a processos comunicacionais que parecem ser o lugar da interconexão entre público e privado, no qual estas categorias se redefiniriam.

Se considerarmos, como Foucault, que "o discurso não é simplesmente aquilo que traduz as lutas ou os sistemas de dominação, mas aquilo por que, pelo que se luta, o poder do qual nos queremos apoderar" (2003: 10), seremos instigados a investigar o discurso sobre responsabilidade social empresarial na mídia numa busca por entender quem domina esse campo discursivo e, portanto, como se dá a criação dos significados que funcionam como estruturas estruturantes/estruturadas que condicionam a ação dos atores sociais. Com este objetivo, analisei três veículos de comunicação que abordam a Responsabilidade Social Empresarial.

No Brasil, a expressão "responsabilidade social" tem sido utilizada para identificar as ações de marketing social (Kotler, 1998), um conceito que sustenta que a organização deve determinar as necessidades e desejos e interesses dos mercados-alvo, e então proporcionar aos clientes um valor superior de forma a manter ou melhorar o bem-estar da sociedade. O "bem-estar" adquire nesta conceituação um entendimento específico, ficando restrito às ações sociais de iniciativa das organizações e à relação entre as empresas e a sociedade como um todo.

O surgimento de inúmeros projetos e programas corporativos de Responsabilidade Social transformou-se em fato jornalístico a partir de meados da década de 1990, levando muitos veículos brasileiros de comunicação de massa a abrirem inicialmente as páginas de economia para o assunto e a mais tarde lançarem seus próprios produtos sobre o tema.

Em julho de 2000, o jornal *Valor Econômico*, uma parceria Grupo Folha-Infoglobo, lança o caderno semanal "Empresas & Comunidade", um mês após a criação do diário. Em 7 de maio de 2003, a rádio *CBN* coloca no ar o "Boletim Responsabilidade Social", transmitido para 14 estados brasileiros e o Distrito Federal. E em junho de 2003, é a vez de o jornal *O Globo* lançar "Razão Social", um suplemento mensal em formato tablóide, com distribuição nacional.

Os veículos analisados[2] foram os únicos identificados na mídia brasileira com publicação regular e sistematizada (isto é, reunida em suplemento, caderno ou boletim com periodicidade definida) sobre o tema. Temos dois veículos "generalistas", o jornal *O Globo* e a rádio *CBN*, e um periódico especializado, o jornal *Valor Econômico*, o que traz ao levantamento um "viés" de origem. Longe de constituir um problema metodológico, na minha visão a presença deste jornal permite uma comparação entre generalistas e especializados.

Produtos da mídia jornalística são importantes registros dos discursos em circulação nas sociedades contemporâneas. Vistos como representações do real – e muitas vezes até mesmo como instituidores da realidade, certificadores da verdade e do factual –, os textos jornalísticos se constituem um objeto de estudo. Nos discursos que produzem e reproduzem, podem-se identificar as construções das representações do mundo, as formulações de identidades e o entrelaçamento das relações sociais.

Num país com forte tradição do Estado paternalista, que sempre foi considerado como responsável pela gestão da esfera pública, chegando a confundir-se mesmo com esta esfera, o que se apresenta como objeto de estudo é um novo agenciamento coletivo de enunciação tomando como ponto de partida a idéia de Empresa-Estado.

Vivemos o capitalismo de empresa, no qual as estruturas empresariais tomaram a dianteira, capitaneiam o processo de expansão capitalista e colocam o Estado num segundo plano. A empresa se torna o referencial social, político e econômico da sociedade. O Estado se transforma no certificador ou num mero coadjuvante. O protagonismo pertence ao mundo corporativo. Nas sociedades de controle, conforme lembra Deleuze, o poder é exercido pela empresa, não mais pelas estruturas disciplinares.

---

[2] Fizeram parte da análise 17 edições de "Empresa & Comunidade", publicadas no período de dezembro de 2003 a novembro de 2005; 512 "Boletins Responsabilidade Social" (do seu lançamento, em 5 de maio de 2003, até 23 de outubro de 2005), e 31 edições de "Razão Social" (do nº 1, de junho de 2003, a dezembro de 2005).

Ocorre que, nas sociedades disciplinares, o poder e seus mecanismos são identificáveis. Os confinamentos funcionavam como moldes, moldando os indivíduos. "É ao mesmo tempo que o poder é massificante e individuante, isto é, constitui num corpo único aqueles sobre os quais se exerce, e molda a individualidade de cada membro do corpo", diz Deleuze (1992). Já nas sociedades de controle, o que vemos é "uma modulação, como uma moldagem autodeformante que mudasse continuamente, a cada instante, ou como uma peneira cujas malhas mudassem de um ponto a outro", continua Deleuze. Esta modulação é perpetrada pela empresa.

Esta noção pode ser encontrada em declarações como a de Tarcila Reis, do Instituto Ethos, citada em reportagem do suplemento "Razão Social" de agosto de 2004. "O Brasil é tido como um dos grandes indutores da gestão de responsabilidade social porque, como tem um estado endividado, criou um vácuo que está sendo preenchido pela sociedade civil organizada. Um lugar onde o terceiro setor está oferecendo alternativas de políticas públicas para o próprio governo". Estabelece-se um diálogo entre as ações modulares da sociedade de controle e a produção de subjetividade, que se dá através dos agenciamentos coletivos de enunciação.

O capitalismo compreendeu que sua mais importante produção é a de subjetividade, nos diz Guattari (1986: 28). A subjetividade é a mercadoria por excelência em nossas sociedades. Ela é a criação e a reprodução, pelo poder, de um território que não pára de faltar a si mesmo, alimentando assim a infindável insuficiência de ser: sempre preenchida pelo "poder" de compra, sempre frustrada pela ilusão insuperável do consumo ideal que escapa no instante mesmo em que o atingimos.

Ao mesmo tempo, vivemos uma naturalização do discurso econômico, que se infiltra em todas as camadas da vida contemporânea, constituindo também um agenciamento coletivo vinculado ao agenciamento do capital. Responsabilidade Social Empresarial é uma nova face desse mesmo agenciamento, trata-se da palavra de ordem que opera no seu interior.

No caso das sociedades de controle a modulação é fluida, adquire novas formas, escorregadia e indeterminável. "O controle remete a trocas flutuantes", diz Deleuze. É nessa modulação de fluxos que se dá a produção de subjetividade. Fruto da análise dos veículos que lidam com a Responsabilidade Social Empresarial, se percebem alguns destes fluxos modulares são percebidos na atuação do Estado, no lugar do cidadão, na força da história individual e na descoletivização das questões sociais. Esses fluxos se envolvem, se cruzam, se distanciam, formando novas configurações, operando na produção de subjetividade.

Antes mesmo do surgimento dos produtos especializados na grande imprensa, já havia uma percepção de que o tema da Responsabilidade Social ganhava importância crescente como pauta e merecia uma cobertura mais regular. Na rádio *CBN*, desde 2001 havia um boletim que divulgava casos de ações de voluntariado empresarial e a *Folha de S. Paulo* já cobria eventuais ações de responsabilidade social.

Em parte, esta cobertura cresceu porque houve um investimento constante de entidades como o Instituto Ethos[3] de trabalhar a formação de jornalistas que entendam o tema de maneira "apropriada". Por meio da Rede Ethos de Jornalistas, a organização mantém um programa de capacitação de profissionais de imprensa sobre responsabilidade social empresarial. O material de formação, além de informações conceituais sobre o tema, inclui diretrizes para a estruturação do próprio trabalho do jornalista.

Por outro lado, nota-se um aumento no número de matérias veiculadas sobre o assunto após a eleição do presidente Luis Inácio Lula da Silva, em 2002, cuja campanha se baseou fortemente em políticas sociais, de redistribuição de renda e de combate à fome. Seria possível conside-

[3] O Instituto Ethos foi fundado em 1998 pelo empresário Oded Grajew com o objetivo de difundir o conceito de responsabilidade social entre as empresas brasileiras. Atualmente, possui 1079 associados – empresas de diferentes setores e portes que empregam juntas cerca de 1 milhão de pessoas – cujo faturamento anual corresponde a cerca de 30% do PIB brasileiro

rar que o movimento cresce de uma forma quase que adesista às políticas governamentais, mas aos poucos (e seguindo o desenrolar do governo Lula) se descola da atuação oficial para estabelecer suas próprias estratégias e programas de intervenção social.

Um aspecto curioso (e talvez resultado deste investimento em capacitação dos profissionais) é que há uma tendência no meio jornalístico a considerar a cobertura da Responsabilidade Social Empresarial como "a prática do jornalismo do Bem", como se todos os demais assuntos cobertos pela imprensa pudessem automaticamente ser considerados como negativos. Em recente artigo na revista eletrônica *No Mínimo*, o jornalista Zuenir Ventura, relatando sua experiência como jurado de um prêmio para as melhores matérias jornalísticas publicadas em jornais, revistas, rádio, internet e televisão entre julho de 2004 e agosto de 2005, comentou:

> "O Brasil que sai desses trabalhos não é agradável de ver. Predominam nele os problemas sociais: violência, miséria, fome, crimes. Impressionam as chagas e mazelas: exploração de trabalho infantil, prostituição de crianças e adolescentes, crimes impunes e criminosos soltos, descaso do Estado. (...) Em compensação, há duas categorias em que a maioria das reportagens é para cima, só trata de assuntos edificantes ou positivos: Responsabilidade Social e Jornalismo Cultural. É o Brasil do bem. No primeiro estão inscritos os trabalhos sobre iniciativas meritórias de pessoas e empresas visando ajudar os outros" (Ventura. *No Mínimo*, 22 de nov. 2005).

O singular é como a presença empresarial pode dar nova significação aos relatos jornalísticos. A base sobre a qual se debruçam os demais trabalhos a que Ventura se refere é a mesma das reportagens sobre responsabilidade social: a pobreza, o desemprego, a fome, o analfabetismo. O recorte adotado, todavia, privilegia a intervenção da empresa – não como uma intromissão, mas como quem traz o Bem. Vivencia-se um ponto de mutação na redação a partir do mesmo quadro social, porém com resultados jornalísticos completamente díspares.

Os veículos examinados neste artigo têm em comum a participação acionária das Organizações Globo, o fato de versarem sobre o tema, o uso do estilo jornalístico, a concentração de seus leitores nas camadas mais favorecidas da população, com nível de instrução superior, e não terem equipe exclusiva (os profissionais são de outras editorias e acumulam funções).

Cada um dos veículos tem um estilo diferente, embora nos dois impressos se perceba uma forte influência do jornalismo de Economia. Seja nas notas ou em reportagens, o que se percebe é a absorção do discurso econômico como apriorístico. O político cede espaço para o econômico, que reina soberano na determinação das pautas, na linha editorial, no recorte do real.

Encontramos na análise uma atuação quase didática por parte destes produtos jornalísticos. Há toda uma preocupação em construir o conceito de responsabilidade social empresarial. Da mesma maneira, como atesta Garcia (2005: 49), o foco das empresas retratadas parece ser mais o de mostrar sua adesão à idéia, como se o fato de ter um programa de responsabilidade social conferisse uma qualidade intrínseca, um selo de modernidade, um atestado àquela empresa.

> "A divulgação das ações empresarias no campo social tem sido feita em larga escala, objetivando diferentes públicos. As corporações que aderiram à campanha pela responsabilidade social utilizam a televisão ou a imprensa escrita nem tanto para divulgar suas ações, mas para publicizar sua participação na campanha pela responsabilidade social."

A partir daí, o tratamento dado à responsabilidade social empresarial transcende o aspecto da informação para assumir ares de um projeto (como a *CBN* classifica seu boletim diário) ou para ir além da coleta e divulgação de notícias – no suplemento de *O Globo*, por exemplo, os jornalistas envolvidos com a produção do caderno doam parte de seus salários para as causas noticiadas em cada edição e parte da receita dos anúncios publicitários tem o mesmo destino.

As publicações e o programa de rádio mostram os bons resultados da atuação privada na direção da sociedade. A ênfase não é explícita numa incapacidade de o Estado gerir a esfera pública, mas em como a empresa privada (local por excelência do capitalismo) é capaz de fazê-lo melhor, de maneira mais eficiente e ágil e com resultados facilmente contabilizáveis. O campo discursivo das entidades que operam projetos de responsabilidade social empresarial, sejam elas empresas ou organizações não-governamentais, está dominado por uma elite que partilha visões muito claras sobre o papel do Estado, a predominância dos negócios e como o Terceiro Setor deve ter um papel bem definido na auto-regulação da sociedade.

Estamos diante do relato jornalístico, que "pretende situar no real", fazer o fato acontecer no momento da reportagem. "A subjetividade é essencialmente fabricada e modelada no registro do social", destacou Guattari (Guattari e Rolnik, 1986: 26), que considera a tendência a bloquear processos de singularização e instaurar processos de individualização como uma das principais características da produção de subjetividade nas sociedades capitalísticas. A imprensa, enquanto produtora de cultura de massa, se alimenta de fluxos de singularidade para produzir, dia-a-dia, individualidades serializadas.

Como mostra Caiafa (2002), os limites entre pessoal e coletivo são tênues e os processos subjetivos envolvem processos heterogêneos. Embora as ações de responsabilidade social se voltem para o coletivo, nas páginas dos jornais impressos analisados vemos o resgate do individualismo. A ênfase do indivíduo como condutor da sua história aparece claramente aqui. É o indivíduo quem altera o rumo de sua história, ultrapassa as fronteiras. As trajetórias são individuais, têm nome e sobrenome, passado e presente. O individualismo emerge nos casos relatados. Há quase uma mitificação destes "sobreviventes", desbravadores, que venceram a fronteira da exclusão e já podem se integrar à sociedade.

No recorte atual da sociedade, mais conservador que nos anos 1980, a desigualdade social não é atacada enquanto tal, mas minorada mediante políticas que favoreçam a progressão dos mais pobres que tenham mérito. Parte da 'ONGuização' da sociedade, isto é, da substituição do conceito de sociedade civil pelo de entidades beneméritas que se voltam para a prática localizada do bem, uma vez que renunciem a melhorar a sociedade como um todo, consiste em atividades que permitam à nova excelência – ao pobre inteligente, ao bom esportista ou ao rosto bonito – ascender socialmente. Desnecessário dizer que isso não resolve nada: em verdade, apenas retoma a velha benemerência do século XIX (Ribeiro, 2002: 29).

Os meios de comunicação não estabelecem a inclusão, mas, sim, os modos de senti-la, desejá-la, percebê-la. Por outro lado, não se pode separar o fato de tanto os jornais quanto a emissora de rádio serem empresas jornalísticas. Existe uma dupla inserção dos veículos de comunicação – enquanto mediação e enquanto empresa, cuja atuação no mercado estabelece novas relações, rompe fronteiras e ergue novas. Existe uma função dos meios de comunicação de massa em relação à sociedade e ao Estado, sobretudo no caso da responsabilidade social.

A mídia é estruturadora ou reestruturadora de percepções e cognições, funcionando como uma espécie de agenda coletiva. A mídia teria, assim, uma função de *agenda setting* – isto é, de organização da pauta de assuntos que devem ser realizados numa determinada sociedade ou num grupo social. Embora não concorde que a mídia haja sozinha nesta fixação de deveres, uma vez que a esfera midiática é hibridizante, Sodré (2002) está de acordo com a proposição de que a agenda temática dos meios de comunicação impõe os temas de discussão social.

Desta maneira, a mídia ocupa um lugar estratégico na adesão consciente do cidadão (ou seria melhor dizer do consumidor?) à normatividade da ordem, que é decisiva para a estabilização das formas contemporâneas do poder.

> "A mídia é levada a encenar uma nova moralidade objetiva – consentânea com a reforma cognitiva e moral necessária à ordem do consumo –, pauta pela criação de uma eticidade (no sentido, parcialmente hegeliano, de costumes e rotinas soci-

> almente dadas), vicária e de conteúdos 'costumbristas' (desde a produção do 'atual' até a reiteração de uma atmosfera familiar em formas de vida variadas), a partir de ensaios, 'negociações' discursivas ou interfaces com o ethos tradicional. Se partirmos da afirmação aforística de hábito como uma 'segunda natureza', chegaremos necessariamente à idéia do bios midiático como uma 'terceira natureza' humana" (Sodré, 2002: 51).

O autor sinaliza ainda a prevalência da mídia na vida cotidiana e na cena pública, ocupando um lugar que cabia anteriormente à política. "O espaço público da contemporaneidade é cada vez mais construído pelas dimensões variadas do entretenimento ou da estética", duas funções que também estão relacionadas à mídia, além da informação jornalística. "A vida comum torna-se médium publicitário e transforma a cidadania política em performance tecnonarcísica" (*Id. Ibid.*: 40).

Utilizando a noção de Sodré de que a cidadania política se transforma em performance tecnonarcísica, pude constatar que nos três veículos ocorre uma mutação na concepção de cidadão: há uma ausência da voz do Estado (seja de qual nível se trate – federal, estadual ou municipal). De um modo geral, o Estado nunca é citado, entrevistado ou serve como fonte para a matéria. O ponto original é a empresa – que divulga as informações, os dados, apresenta os beneficiados com o projeto em pauta e, no caso dos jornais impressos, ainda fornece as fotos que serão publicadas[4]. Quando muito, o Estado aparece como parceiro, numa condição sempre passiva e nunca propositiva.

Mas se é a empresa quem capitaneia o processo de construção da cidadania dos excluídos, ela o faz aparentemente sem enfrentar dificuldades de nenhuma espécie. Isso porque nos relatos não são abordados problemas e percalços na implantação e na gestão dos projetos. As repor-

[4] Um ponto comum tanto ao *Valor* quanto a *O Globo* é o uso intenso de fotos de divulgação. Raramente algum fotógrafo da casa assina as fotografias. Nenhum dos dois possui fotógrafos exclusivos para seus suplementos.

tagens e notas, salvo raríssimas exceções, apresentam uma visão lisa do processo, como se não houvesse modulações, por onde se faz e refaz o controle, e por onde poderiam surgir brechas de contestação, confronto, crítica. A sensação que se tem da leitura ou da escuta dos noticiários é que bastou a empresa x se dedicar ao projeto y para que a comunidade z ganhasse quase instantaneamente qualidade de vida, saúde, educação, capacitação profissional. Até o tempo parece ser reconfigurado para que os resultados surjam velozmente.

Verificamos também de um modo geral a falta de referência aos custos de cada intervenção social. Em se tratando de atividades empresariais, esta ausência chama a atenção, pois o principal critério das corporações é justamente o financeiro. Por que então os três veículos não citam o valor dos investimentos desembolsado pelas empresas que atuam em Responsabilidade Social Empresarial?

Os editores dos três veículos, em entrevista, disseram que, quando a informação financeira é relevante para a notícia, ela é divulgada. No caso da *CBN*, por se tratar de um boletim de rádio, com informações sucintas, a simples descrição da ação já ocupa o tempo da nota, restando pouco espaço para dados adicionais.

Do ponto de vista jornalístico, entretanto, esta parece ser uma informação primordial. Pelo prisma mais aguçado do jornalismo econômico (ao qual os produtos dos veículos analisados parecem se referenciar), não se fala de um projeto da empresa sem apresentar seus custos, expectativa de retorno, prazos do investimento, etc.

A abordagem nos veículos em questão, todavia, é superficial e omite estes dados de interesse financeiro, como se o custo da intervenção social empreendida pelas empresas não fosse relevante para o conjunto da sociedade, pois importante mesmo é o resultado que vem do esforço que as corporações estão fazendo para implantar uma nova cidadania.

O temário circula em torno do conceito de Responsabilidade Social Empresarial. Mas que critérios são empregados na seleção de pautas, na edição das reportagens e na escolha dos entrevistados? Segundo a editora de "Razão Social", Amélia Gonzalez[5], o principal critério que norteia a produção das reportagens é o mais antigo postulado do jornalismo: ser notícia. Entretanto, pelo menos na *Rádio CBN*, há um relacionamento mais próximo entre as empresas e a redação, mediado pelo Instituto Ethos, que fornece indicações de pautas.

Em todos os veículos, constatamos que a narrativa é jornalística – o que não significa que o critério de seleção do conteúdo seja meramente ser ou não notícia[6]. O estilo não é o da propaganda, isto é, não se utilizam os recursos estilísticos claros da publicidade. Uma leitura mais atenta nos revela, porém, que se está diante de comandos, e não de mera transmissão de informação.

Ao apropriar o tema da Responsabilidade Social Empresarial como um assunto de interesse geral, o qual merece entrar no corpus do jornal e se tornar parte da linha editorial do veículo, os veículos de comunicação de massa assumem este discurso, averbando-o e reproduzindo-o.

Esta reprodução se dá na escolha das pautas, no enfoque de cada reportagem, na seleção das matérias de capa, na definição das chamadas. Ao ler ou ouvir os discursos produzidos pela imprensa a respeito do tema Responsabilidade Social Empresarial ou Corporativa, me pa-

---

[5] Em palestra no II Encontro Nacional de Jornalistas em Assessorias de Comunicação (9/2003).

[6] "Notícia é o relato de fatos ou acontecimentos atuais, de interesse e importância para a comunidade, e capaz de ser compreendido pelo público" (Rabaça e Barbosa, 1978: 324). "Para que, com toda a técnica jornalística, se produza uma boa notícia, é essencial que o fato reúna determinados atributos, como: Atualidade, veracidade, oportunidade, interesse humano, raridade, curiosidade, importância e conseqüências para a comunidade, proximidade, etc." (*Id.Ibid.* : 325). Segundo Lage (op. cit.:16), "do ponto de vista da estrutura, a notícia se define, no jornalismo moderno, como o relato de uma série de fatos a partir do fato mais importante ou interessante; e de cada fato, a partir do aspecto mais importante ou interessante".

rece que estão lidando com palavras de ordem, no sentido que Gilles Deleuze e Félix Guattari atribuem a esta expressão. O processo de edição de cada um dos veículos é um processo de construção de palavras de ordem, do ilocutório.

Deleuze e Guattari (1995) afirmam que não existe um começo não-linguístico, já estamos imersos na linguagem, a qual não se ocupa da transmissão de informações, mas se trata de um mapa complexo de palavras de ordem. Ao comentar Austin, os autores dizem que

> "o destaque da esfera do performativo, e da esfera mais vasta do ilocutório, apresentava três importantes conseqüências: 1) a impossibilidade de conceber a linguagem como um código; (...) e a impossibilidade de conceber a fala como a comunicação de uma informação: ordenar, interrogar, prometer, afirmar, não é informar um comando, uma dúvida, um compromisso, uma asserção, mas efetuar esses atos específicos imanentes, necessariamente implícitos; 2) a impossibilidade de definir uma semântica, uma sintaxe ou mesmo uma fonemática, como zonas científicas de linguagem que seriam independentes da pragmática; (...) 3) a impossibilidade de manter a distinção língua-fala,(...) são o sentido e a sintaxe da língua que não se deixam definir independentemente dos atos de fala que ela pressupõe" (*Id.Ibid.*: 15).

Esses dois autores afirmam que "a unidade elementar da linguagem – o enunciado – é a palavra de ordem" e que "a informação é apenas o mínimo estritamente necessário para a emissão, transmissão e observação das ordens consideradas como comandos" (Deleuze e Guattari, 1995: 12).

O caráter de comando não se traduz pelo uso do imperativo, por exemplo, mas se estabelece na relação entre atos de fala que se realizam no enunciado, e somente nele podem de fato acontecer. Segundo Austin, citado por Deleuze e Guattari, as relações entre a fala e a ação não são extrínsecas, no sentido de que um enunciado apenas descreve uma ação num modo indicativo ou a impõe quando se utiliza o modo imperativo. Existem relações intrínsecas sob as quais uma ação é executada. Este seria o caráter ilocutório da linguagem, como uma função co-extensiva desta que não se restringe nem está marcada pelos modos. Desta forma, o enunciado como palavra de ordem não se expressa somente nos comandos explícitos do modo imperativo – "mas a todos os atos que são ligados aos enunciados por uma 'obrigação social'" (*Id.Ibid.*: 16).

No caso dos veículos em análise, a construção de palavras de ordem se observa na seleção das empresas e ações retratadas. Muitas destas atividades são obrigações legais, ações de marketing, programas de voluntariado e são elevadas à categoria de Responsabilidade Social Empresarial porque classificadas como tal pelos veículos analisados. O discurso jornalístico realiza a Responsabilidade Social Empresarial.

Outro exemplo é a constante organização e divulgação de premiações e títulos de Responsabilidade Social Empresarial. O *Valor Econômico* dedica grande parte das páginas de seu suplemento (e até mesmo algumas edições inteiras do caderno) para abordar prêmios, certificações, movimentos de auto-reconhecimento formulados pelo corpo empresarial. Ao atribuir uma premiação a uma determinada empresa, o que se faz é nomear as atividades de intervenção social que ela promove como projetos de responsabilidade social. É neste momento que a responsabilidade social se instaura, mesmo que a empresa não pague horas extras a seus funcionários (como as instituições bancárias), ou demita em larga escala para manter seus lucros. Os veículos noticiam a excelência, o reconhecimento como ação de formulação de comandos. São prescrições, que funcionam pelo estímulo à competição e à concessão de destaques entre pares, entre desiguais. As ações e programas premiados são reconhecidos como atividades de Responsabilidade Social e é nesse reconhecimento que residem a sua eficácia e a sua própria existência.

Responsabilidade Social Empresarial é uma questão de lapidação de imagem, que se vale dos discursos jornalísticos produzidos como palavras de ordem no processo de formação de um agenciamento coletivo de enunciação. Na edição nº 31, "Razão Social" traz uma reportagem sobre uma pesquisa feita com pessoas comuns sobre o grau de conhecimento do tema. Entre as perguntas listadas, encontra-se: "O que uma empresa pode fazer para ser vista como socialmente responsável?". Embora a resposta tenha sido direta (24%, a maioria, responderam: tratar seus empregados de forma mais justa[7]), a indagação traz, em si, a visão de que a empresa não precisa ser socialmente responsável, basta parecer. Ou melhor, é necessário somente que ela seja percebida como tal. Porque, ao ser enunciada, a Responsabilidade Social Empresarial se fará. E só no campo do discurso de fato existirá.

Se as fronteiras entre público e privado estão erodidas e confusas, o que podemos verificar é que os veículos da grande imprensa que formularam produtos específicos para abordar o tema da responsabilidade social terminam por construir novas barreiras. Faz parte de suas preocupações editoriais definir responsabilidade social – atribuindo legitimidade a ações corporativas, fornecendo definições, dando espaço a vozes empresariais para estabelecer um conceito comum.

Como o capitalismo percebeu o papel fundador da produção de subjetividade, e nas sociedades de controle essa modulação é exercida pela empresa, a redefinição da questão público/privada também se constitui numa questão de produção de subjetividade. E a melhor maneira de fazer isso é através da credibilidade que a mídia possui. Não a mídia corporativa e institucional das empresas, nem tampouco a mídia especializada em negócios, mas a grande imprensa, a mídia de massa, supostamente generalista e imparcial.

A empresa, como princípio operatório e estratégia de dominação, é quase transparente; ela tudo faz para coincidir com a condição humana, destaca Caiafa (2002: 30). "Temos assim uma 'formação permanente', como coloca Deleuze, e não as interrupções de meio a meio como nas sociedades disciplinares. São passagens mais suaves, portan-

[7] Este pode ser considerado, de fato, um excelente termômetro da real responsabilidade social das empresas. A relação empregado/empregador costuma desmascarar a atuação corporativa no social, evidenciando seu caráter mercadológico, focado nos negócios e na conquista de clientes.

to, em que a dominação se torna imperceptível, uma 'ondulação' mais sutil como 'os anéis de uma serpente'".

A reformulação dos conceitos de público e privado, portanto, não é meramente formalista, mas se inscreve no que se convencionou chamar de senso comum, no que diz respeito a cada pessoa, independentemente de sua posição social, repertório profissional ou atuação política. É uma modulação sutil e suave que se insere na subjetividade individual e coletiva. Guattari lembrou que "tais mutações da subjetividade não funcionam apenas no registro das ideologias, mas no próprio coração dos indivíduos, em sua maneira de perceber o mundo, de se articular como tecido urbano, com os processos maquínicos do trabalho, com a ordem social suporte dessas forças produtivas" (Guattari e Rolnik, 1986: 26).

É porque o capitalismo opera no nível da produção da subjetividade que se pode perceber que o espírito público da iniciativa privada se transforma num dos axiomas de nossa época. A percepção de que as corporações devem ter um ativismo social parece impregnar o nosso tempo. Um mantra repetido à exaustão que parece fadado a penetrar no tecido social, costurando novas teias de relacionamento entre os diversos atores sociais e esgarçando a concepção de cidadania e de políticas públicas. Envolvidos por este axioma, os veículos da grande imprensa que tratam de responsabilidade social se estabelecem como palavras de ordem, produzindo transformações incorpóreas na sociedade, gerando novos sentidos e estabelecendo um novo olhar para a conceituação do público e do privado.

## Referências bibliográficas

CAIAFA, Janice. *Jornadas urbanas*: exclusão, trabalho e subjetividade nas viagens de ônibus na cidade do Rio de Janeiro. Rio de Janeiro: Editora FGV, 2002.

DELEUZE, Gilles; GUATTARI, Félix. 20 de novembro de 1923. Postulados da Lingüística. *Mil Platôs,* vol. 2. Rio de Janeiro: Editora 34, 1995.

DELEUZE, Gilles. Pos-scriptum sobre as sociedades de controle. *In*: *Conversações*: 1972-1990. Rio de Janeiro: Ed. 34, 1992.

FOUCAULT, Michel. *A ordem do discurso*. São Paulo: Loyola, 2003.

GARCIA, Joana. *O negócio do social*. Rio de Janeiro: Jorge Zahar Editor, 2004.

GUATTARI, Félix; ROLNIK, Suely. *Micropolítica*. Cartografias do Desejo. Petrópolis: Vozes, 1986

KOTLER, Philip e ARMSTRONG, Gary. *Princípios de marketing*. Rio de Janeiro: Prentice Hall do Brasil, 1998.

LAGE, Nilson. *Estrutura da notícia*. São Paulo: Ática, 2004.

RABAÇA, Carlos Alberto; BARBOSA, Gustavo. *Dicionário de comunicação*. Rio de Janeiro: Codecri, 1978.

SODRÉ, Muniz. *Antropológica do espelho*: uma teoria da comunicação linear e em rede. Petrópolis: Vozes, 2002.

VENTURA, Zuenir. O Brasil da mídia. *No mínimo*. Disponível em www.nominimo.org.br. Acessado em novembro de 2005.

Características deste livro:

*Formato*: 14 x 21 cm

*Mancha*: 105 x 170 cm

*Tipologia*: Times New Roman 10,5/14

*Papel*: Ofsete 75g/m² (miolo)

Cartão Supremo 250g/m² (capa)

*1ª edição*: 2006

*Para saber mais sobre nossos títulos e autores,*
*visite o nosso site:*
www.mauad.com.br

Este livro, da MAUAD Editora,
foi impresso na gráfica Sermograf